De Herberg met 't Hoefijzer

A. den Doolaard

De Herberg met het Hoefijzer

Amsterdam   Em. Querido's Uitgeverij B.V.   MCMLXXVII

Eerste druk, 1933; vierentwintigste druk, 1971; vijfentwintigste druk, 1972; zesentwintigste en zevenentwintigste druk, 1973; achtentwintigste druk, 1974; negenentwintigste druk, 1975; dertigste druk, 1976; eenendertigste druk, 1977.

ISBN 90 214 1252 7

Voor Dick

Een

Vaarwel Piccadilly! Na een werkzaamheid van zes maanden op het Londense hoofdkantoor van de Trepca Mining Company moest Erwin Raine, geoloog en explorateur, plotseling zijn paspoort inleveren en toen hij twee dagen later bij de directie geroepen werd wist hij reeds wat hem te wachten stond.

'U kent wat Italiaans, nietwaar? En Duits, van moederswege? U werkte ook drie jaar in de kopermijnen van Bor en u spreekt dus goed Servisch? Uitstekend. Ziehier uw opdracht. In de Noordalbanese Alpen, het gebied tegen de Joegoslavische grens, moeten lonende koperlagen aanwezig zijn. U gaat er heen en zoekt de zaak uit. Hier zijn uw aanbevelingen: voor de regering in Rome, want u weet waarschijnlijk dat Albanië een Italiaans protectoraat is, voor het Albanese gouvernement en voor de Joegoslavische autoriteiten, voor geval u over de grens mocht geraken. Het gebied heeft de roep niet geheel veilig te zijn en u krijgt vanuit Scutari een gendarmerie-escorte, wapen u niettemin. Over drie weken uiterlijk verwacht ik uw berichten. Indien de exploratie gunstig uitvalt, komen u vier assistenten na. Dit is slechts een verkenningsreis. Telegrafeer "ill" of "good health" al naar de uitslag is en neem met het oog op de concurrenten zwijgzaamheid in acht. Hier is de tegenwaarde van vijfhonderd pond, in lires en dollarbiljetten. Ik wens u goede reis.'

Tegen alle verwachtingen in had Raine geen enkele bedenking laten horen. Hij had goedmoedig geglimlacht, zoals gewoonlijk, en de directeur zelfs warm de hand gedrukt alsof hij hem bedankte voor deze verbanning naar de wildernis. Toen hij weg was mompelde de directeur: 'Een opofferende ziel en een werkezel...' Hij wist niet dat Raine drie dagen geleden zijn verloving verbroken had.

Drie dagen later kwam Raine te Scutari aan. Zijn hele bagage bestond uit een rugzak met zijn tekengerei, geologische instrumenten, kaartentas, wat ondergoed, een tandenborstel en een grote Steyrrevolver. De oosters uitziende stad bekoorde hem dadelijk en hij sjouwde geduldig zijn drager na langs het blauwe bergmeer vol diepgroene drijvende eilandjes. Het was half twee in de hete namiddag en gans Scutari scheen te slapen, op twee schildwachten voor de kazerne na en drie in 't wit geklede vrouwen die met gekruiste blote benen op het plaveisel zaten en Raine cocons van zijderupsen te koop aanboden.

Het grote hotel was vol. Met een zucht van verlichting gaf hij zijn rugzak aan de drager en weer slenterden zij de stoffige straten door. Op de hoek van een pleintje zonder naambord, recht tegenover een lage moskee met een afbladderende minaret, zag hij een aanlokkelijk donkere herberg. Op de roze pui stond in versleten letters 'Grand Hotel London'. Raine lachte, betaalde de drager en ging naar binnen. Reeds sinds zijn studententijd had hij een passie voor kleine en donkere kroegen, waar hij rustig zijn benen op een tweede stoel kon leggen en zijn pijp tegen de tafelkant uitkloppen, en 'Grand Hotel London' zag er precies uit zoals hij het zich wenste. Bovendien wist hij uit ervaring dat hij in dit soort herbergen eenvoudige lieden uit het volk ontmoette, die hem voor het geven van inlichtingen dikwijls honderdmaal meer van nut waren dan de officiële persoonlijkheden wier namen en adressen hij netjes op een getypt lijstje meekreeg.

Rechts in de verlaten gelagkamer stond een scheerstoel bekleed met rood pluche, dat enige generaties Albanezen met ellebogen en ruggen zwartgesleten hadden. Daarboven een stel oleografieën van Mekka, Napoleon te Austerlitz, en een ijsberenjacht in de Poolzee, in lijstjes die kromgetrokken waren van de hitte. Raine plofte zijn rugzak neer en ging in de stoel zitten om de oleografieën, die hij heimelijk liefhad, op zijn gemak te bewonderen. Tussen de kleurige prenten hing een spiegel vol vliegepoep, waarin hij plotseling zijn vertrokken gezicht zag. Hij streek ontsteld over zijn voorhoofd. Bezat hij werkelijk zoveel rimpels? Hij had nooit de gewoonte gehad zich zelf nauwkeurig te bekijken en staarde nu verbaasd naar de diepe kerven opzij van zijn mond. Nog geen maand geleden was hij zorgeloos geweest en gelukkig. Zes weken daarvoor had hij gelachen om liefde en noodlot; en nu ontdekte hij zijn gezicht bol en bleek in de halve schemering van de gelagkamer. Had dit afscheid hem zo aangepakt? Of was het de hitte, die hij sinds Mexico niet meer gewend was? Of zijn baard van twee dagen, die hem zo bleek maakte? Hij stampte op de vloer en riep luid: 'Scheren!' In de stilte die volgde hoorde hij enkel het hoefgestamp van een paard.

Nadat hij driemaal geroepen had kwam eindelijk een jongen

met een verwezen gezicht uit de achterkamer. Al lopende veegde hij de strootjes uit zijn plukkerig blond haar en streek ook een paar maal over zijn gescheurde hemd, dat eruitzag alsof honderden koperdraadjes nauwkeurig parallel door het zwart en wit gestreepte katoen geregen waren, zodat het vod, hoe vuil het ook was, een gouden weerschijn had. Toen stak hij zijn duimen in de lege patroongordel waarmee hij zijn linnen broek ophield en bleef Raine verlegen aanstaren met een open mond vol witte tanden die even hard glansden als zijn ogen.

Raine wees glimlachend op twee vliegen die rond een schoteltje vol opgedroogd zeepschuim wandelden en zei in 't Servisch: 'Kan je mij scheren? Geef anders maar warm water, dan doe ik 't zelf. En waar is de patroon? Kan ik hier slapen?' De veelheid van deze vragen scheen de jongen uit een diepe droom wakker te schrikken. Hij knikte enige malen heftig van ja, legde toen de hand op het hart en maakte een buiging die door zijn plechtstatige ernst niets onderdanigs had, schoof inderhaast zijn witvilten schedelkapje recht en liep op rappe blote voeten weg. Raine hoorde hoe hij het paard in de stal leidde en daarna het gekraak van brekende twijgen. Tien minuten later klonk het klepperen van een deksel dat door de stoom wordt opgetild, maar de jongen kwam nog steeds niet. In de richting van het geluid lopend raakte Raine door de achterkamer in een klein keukentje, waar de jongen met zijn rug naar Raine toe voor een open vuur knielde. De stoom van de ketel wasemde rond zijn haren, maar hij staarde aandachtig naar een glimmende foto die hij met beide handen vasthield. Raine onderscheidde drie gestalten: twee Albanezen aan weerszijden van een vrouw met een witte hoofddoek, een kleine gebogen mond en een donker lichaam behangen met kettingen. Raine wilde kuchen om de jongen uit zijn droom te halen, maar plotseling dacht hij aan het portret dat hij zelf in zijn binnenzak droeg en liep op zijn tenen terug naar de scheerstoel. Juist toen hij in zijn handen klapte kwam de jongen met de ketel kokend water aanzeulen.

'Wanneer de heer zijn boord wil afdoen...' zei hij aarzelend en toen, met een dwaze glimlach: 'De patroon slaapt, maar er zijn drie kamers vrij. Is de heer Serviër? Ik zal uw mond het laatste inzepen, dan kunt u makkelijker spreken...'

Raine staarde in de spiegel, stomverbaasd over zoveel naïeve brutaliteit. Maar de jongen keek hem met zulke waterklare ogen aan dat hij lachen moest en daardoor een lik zeepschuim in zijn mond kreeg.

Meteen stoof de jongen twee pas achteruit, legde de linkerhand op de gouddraden van zijn smerig hemd en mompelde: 'Vergeving, heer!' Maar in zijn ogen stonden kleine spotachtige lichtjes, alsof achter zijn pupillen plotseling kaarsjes werden aangestoken.

'Maak niet zoveel drukte,' zei Raine kort. 'Scheren is zeker je gewone beroep niet? Hoe oud ben je eigenlijk? En hoe heet je?'

'Ik ben een Malissoor, heer, een bergbewoner uit de stam van Sjosj. Ik heet Leonard en ben vijftien jaar.' Hij sprak langzaam en hakkelend, alsof hij aan iets anders dacht en keek voortdurend naar de spinnewebben in de hoek van de kamer.

'Hoe lang ben je hier?' vroeg Raine verder.

'Sinds twee weken, heer.'

'Hm. Je ziet er niet naar uit alsof je ooit een goede kelner of kapper zult worden. Waarom ben je niet boven gebleven?'

De jongen zette de kwast neer en kreeg een scheermes, dat hij snel over zijn verhoornde hand heen en weer veegde. Toen keek hij Raine bedremmeld aan, zag snel voor zich en schoor een paar haartjes van zijn handrug.

'Nu?' drong Raine aan.

Leonard blies verlegen langs het lemmet en klapte het mes toen plotseling dicht. Hij greep haastig naar de kwast en gaf Raine een paar onbehouwen likken langs zijn kin. Ineens bleef hij stokstijf staan, met de trillende zeepkwast op Raine gericht en zei met een stem vol treurige woede: 'Dat kan ik u niet zeggen, heer.' En toen verontschuldigend, terwijl hij de zeepkwast zakken liet: 'Gij zijt toch een vreemdeling, heer? En ik weet niet eens vanwaar! Ik heb u gezegd wie ik ben, maar *u* niet! Wanneer twee mannen van twee verschillende stammen elkaar tegenkomen, zeggen ze eerst wie ze zijn; eerder kunnen ze elkaar geen vertrouwen schenken...'

Raine keek zwijgend naar de oleografie van de ijsberenjacht, verlegen nadenkend over deze vreemde wildernistheorie. De jongen had gelijk. Doch hij voelde zich kribbig omdat een knaap hem, een bereisd man, een les in beleefdheidsvormen wilde geven en zei spottend: 'Twee mannen zeg je? Ik dacht dat je pas vijftien was.'

De jongen hield ineens op met scheren.

Weer vlamden de kaarsjes achter zijn ogen op, toen hij trots zei:

'Elke Malissoor van veertien jaar is een man, heer, met de rechten en de plichten van een man.' Hij sprak vol ijver, nu niet meer stamelend en hakkelend, maar voluit en duidelijk, en zijn magere kaken waren bloedrood. Was al die onhandige verlegenheid enkel maar een voorwendsel?

'En wat zijn de plichten van een man?' vroeg Raine ernstig terwijl hij in de spiegel naar zijn halfgeschoren gezicht keek.

'Het verdedigen van zijn eigen eer en de eer van zijn familie,' zei de jongen strak terwijl hij over Raines hoofd heen in de richting van Napoleon te Austerlitz staarde.

'Hoe bedoel je?' vroeg Raine onverschillig.

'Dat zult u in het land der Malissoren wel zien, heer!' Meteen perste hij zijn dunne lippen op elkaar en ging ijverig door met scheren.

Het licht dat achterin de schuinhangende spiegel stond, werd plotseling verduisterd door twee grote gestalten. Raine durfde niet omkijken, want hij was bang dat de onhandige jongen hem snijden zou. Hij hoorde het kraken van banken, een lucifer die afgestreken werd en een zware stem, die om mastiek riep.

'Kunt u zich zelf wassen, heer?' zei Leonard. Raine knikte. Toen de jongen met de mastiek terugkwam had hij zijn boord al om en zijn das gestrikt. De twee Albanezen in de hoek bij het raam hadden hem geen ogenblik aangekeken. Zij zaten zo dicht bijeen dat hun witvilten schedelkapjes elkaar bijna raakten en spraken halfluid. De jongen zette de fles mastiek op de tafelrand en schoof toen de twee gevulde glaasjes aarzelend naar hen toe. Zij keerden zich tegelijk om en keken hem smalend aan. Hij bleef met neergeslagen ogen staan, het glimmend presenteerblad in de hand. De oudste van de twee, die een grijze lok over zijn voorhoofd droeg, wees strak op zijn glaasje. Met zijn gebogen neus, streepjesachtige lippen en dunne nek leek hij op een roofvogel, die geen andere uitdrukking in zijn kop heeft dan toorn en nijd. Hij verhief zijn stem, wees met een strakke vinger op het glas en maakte de beweging van drinken, maar Leonard schudde van neen. Doch toen de oude naar de kolf van zijn revolver greep die uit zijn roodgele gordel stak, graaide hij het glas naar zich toe. Terwijl hij stap voor stap terugweek naar de deur van de achterkamer bracht hij onder uitbundig gelach van de beide boeren het witte vocht naar zijn mond.

Vlak bij de drempel smeet hij het met een klets op de stenen vloer, lachte hard en was verdwenen.

Aanstonds, alsof er niets gebeurd was, staken de boeren hun koppen weer bij elkaar. Raine ging naar buiten. De schaduwrand langs de huizen was breder geworden en de bewoners kwamen op straat. Twee vrouwen, in gewaden van rood en wit gestreepte katoen gehuld, klikklakten op Turkse muiltjes over het hete plaveisel. Van de tegenovergestelde kant kwam een gesluierde vrouw in een bruine mantel. Vlak bij kon Raine vaag de vorm van haar neus zien en het dringend staren van haar donkere ogen. Een limonadeverkoper kwam zwetend aanrinkelen. De hals van het koperen vat op zijn rug was versierd met glimmende adelaren, spiegeltjes en halve manen. Door zich voorover te buigen spoot hij het water uit een spitse drakebek in het glas, waar de limonade-essence een rood bodempje vormde. De drank was heerlijk koel en Raine gaf hem een 'lek', een klein zilveren geldstukje, met een handbeweging om te beduiden dat het kleingeld als fooi bedoeld was, maar de jonge kerel gaf hem een halve lek terug en verwijderde zich statig zonder een woord te zeggen. Boven de manshoge koperen toren op zijn watervat glansde een brede groep sneeuwbergen die aan het eind van de straat schenen te beginnen, zo bedrieglijk kortte het scherpe licht de afstanden in. Reeds op de eerste blik stelde Raine met genoegen vast dat in de hoofdketen zeker mineraalhoudend eruptiegesteente moest voorkomen, zodat zijn reis niet vruchteloos zou zijn en ging naar binnen om zijn kijker te halen. Aan de tafel van de Albanezen zat nu een smalhoofdig man in burgerkleren zonder boord, die Raine onder veel strijkages naar zijn kamertje bracht en zich in gebroken Servisch als de waard voorstelde.

Raine slenterde de hof in om van daar de bergen te beturen. Leonard was bezig een vuile bruine pony af te borstelen. Hij glimlachte en Raine kon niet nalaten te vragen waarom de oude Albanees hem bedreigd had. Hij zette de handen in de zijden en antwoordde: 'Hij wilde mij enkel treiteren, omdat ik van een vijandige stam ben. Zijn vader en mijn overgrootvader hebben gevochten om de weidegronden bij Sjosj, waar ik geboren ben... De oude vos tikte van zijn sigaret wat as in de mastiek en beval mij toen hem een ander glas te brengen en zelf het eerste leeg te drinken omdat ik hem beledigd had... door er as in te gooien... haha!'

'Dacht je werkelijk dat hij schieten zou?'

Leonard wreef ongeduldig de borstel over zijn handrug. 'Geloof mij, heer, ik was niet bang. En ik geloof niet dat hij geschoten zou hebben, want hij is het eens met de nieuwe regeringspartij, die tegen de bloedwraak is...'

Hij zweeg en werd rood alsof hij een geheim verraden had. Maar toen hij Raines uitdrukkingsloos gezicht zag, ging hij door: 'Toch liep ik weg, want met de ouden kun je nooit weten. De natuur is soms sterker dan de leer en ik moet nog veel verrichten in dit leven...'

'Wat dan?' vroeg Raine rustig.

Leonard keek hem hulpeloos aan. Zijn hemd hing open op zijn haarloze borst en Raine zag een magere bruine ribbenkast die snel op en neer ging. Hij stond op 't punt te antwoorden, maar opeens pakte hij de pony bij de ruggegraat en zei, bijna smalend: 'Bij voorbeeld dit paard afborstelen, heer!'

Raine draaide zich schouderophalend om, maar Leonard ging zachter door: 'Want deze pony zal u misschien naar de bergen dragen. Nietwaar, heer?'

'Hoe weet je dat ik naar de bergen ga?' vroeg Raine geërgerd.

'De heer kijkt er voortdurend naar,' zei de jongen nederig. 'En je kijkt enkel naar wat je verlangt.' Raine zag hem ongeduldig aan. Hoe kwam de knaap aan zulke eenvoudige waarheden? Zijn hand streek over het portret, dat hij in zijn binnenzak droeg en hij zei hard: 'Inderdaad wil ik naar de bergen; niet uit verlangen maar omdat ik moet. Ik verzamel zeldzame planten en gesteenten...'

'Twee jaar geleden is een professor in Sjosj geweest,' zei Leonard peinzend. 'Ik zocht veel bloemen voor hem en hij gaf mij een goudnapoleon.'

'Fotografeerde die professor ook?' vroeg Raine.

Leonard haalde plotseling de borstel over de staart van de pony die ongeduldig zijn achterbenen uitsloeg. Hij keek Raine weer hulpeloos aan en zei toen langzaam en slepend alsof hij de woorden een voor een met ongenoegen prijsgaf: 'Het is, zoals de heer zegt!'

Toen bekeek hij Raine plotseling van het hoofd tot de voeten en zei met gevouwen handen: 'Wat heeft de heer een prachtige gouden horlogeketting! Wil de heer soms deze pony kopen? Voor zes goudnapoleon is hij van u!' En hij streek spelend met zijn vingers door de gelige manen.

'Wat doe ik met een pony?' antwoordde Raine bars. 'Op de

slechte muilezelpaden, en andere zijn er in jouw bergen niet, kom ik te voet veel sneller vooruit...' Hij zag hoe Leonard zijn mond vertrok, pijnlijk alsof hij een klap gekregen had en zei in een opwelling: 'Zou je hier wegkunnen om met mij mee te gaan als gids?'

'Hoeveel verdien ik?' was de verrassende weervraag.

Raine haalde langzaam zijn pijp en tabak te voorschijn. Deze kleine wilde was dus enkel op het geld gespitst, zoals de meesten. Het viel hem tegen, maar om hem te beproeven zei hij: ''t Is waar, ik heb je nog niet voor het scheren betaald. Hoeveel?'

'Zoveel de heer wil,' antwoordde Leonard van achter de paardekop. En tot Raines verbazing was zijn heldere jongensstem nat van tranen.

Raine stak zijn pijp aan en diepte drie zilverleks uit zijn broekzak op. Zodra de jongen het gerinkel hoorde dook hij onder de paardekop door en graaide Raine het geld uit de hand, snel en gretig als een pikkende vogel. Toen legde hij de rechterhand op het hart en boog langzaam, terwijl hij aldoor naar de zilverstukjes staarde. Ineens begon hij dringend te spreken, met een hoge schelle stem waaruit hij zijn verdriet probeerde weg te slikken: 'De heer zal in mij een getrouw dienaar vinden... Ga vooral niet alleen naar de bergen, heer! De bossen zijn dicht en steil en de weg van de ene vallei naar de andere is moeilijk te vinden en de bronnen soms ook en dorst is in de zomer een zwaar kruis. En ook kent u de gewoonten des lands nog niet. Niemand zal u kwaad doen, maar toch zou er een ongeluk kunnen gebeuren. Is de heer gewapend?'

Hij ging ijverig door met het borstelen van de pony, er in grote stappen omheen draaiend. Beurtelings bewerkte hij de hals, de rug en de benen en schoof na zes, zeven borstelstreken weer verder, zodat het beest zenuwachtig begon te trappelen en telkens probeerde zijn witte voorvoet op Leonards blote tenen te zetten. Terwijl Leonard de laatste woorden sprak, zag Raine zijn vragende ogen vlak boven de glanzende paarderug. Hij voelde dat hij de jongen verdriet gedaan had met zijn harde toon en zei geduldig: 'Natuurlijk ben ik gewapend. Ik heb zelfs twee revolvers...' Hij bezat er slechts een maar hij voelde een vage behoefte om de Malissorenknaap, wiens gedrag hij niet begreep, te overbluffen. 'Heb ik hier een vergunning voor wapens nodig?' voegde hij er aan toe. Leonard borstelde heftig over de achterbenen. 'Zogenaamd mag geen Malissoor wapens dragen,' klonk zijn stem van achter de pony, een stem die helder was alsof hij lachen wilde. 'Maar wij zijn een volk van krijgers en bijna iedereen heeft zoveel wapens als hij wil...'

'Ook vijftienjarige jongens?' vroeg Raine ironisch.

'Heeft de heer dan niet gezien dat mijn patroongordel leeg is? Ik draag die enkel om mijn broek op te houden! Maar indien ik u raden mag, heer: ga naar het stadscommando en laat u een aanbeveling geven! Anders nemen de gendarmes misschien uw wapens in beslag! Nodig hebben zult u ze trouwens niet, want geen Malissoor doet de vreemdeling kwaad...'

Hij kwam met een hoogrood gezicht boven de paarderug uit en keek snel naar de zon.

'Vier uur!' riep hij verschrikt. 'En om half vijf gaat de prefect weg! Haast u, heer! Het grote grijze gebouw rechts! Ik... ik moet nu weer bedienen, anders zou ik met u mee gaan... Over al het andere spreken wij morgen!'

'Dank je,' zei Raine. Voor hij de hof verliet draaide hij zich om. Leonard had de borstel laten vallen en staarde, met zijn rug tegen de pony geleund, strak naar de brede reeks bergen die in het minderende licht hun afstand herwonnen hadden. Hun witte kammen lagen nu dagreizen ver in het wolkeloos blauw. Toen hij zag dat Raine naar hem keek pakte Leonard snel de borstel op en begon heftig de achterpoten van de pony te bewerken.

'Vreemd,' dacht Raine, op de zonnige drempel staand, 'links borstelt hij de pony viermaal en rechts laat hij het arme beest vuil. Wat verbergt hij mij? Zou hij een geheim met zich meedragen... zoals ik? Wat beduidt die foto? En zijn tranen? En dat wilde spreken?'

Hij trad het koele achterhuis binnen en keerde zich nogmaals peinzend om. Het was blijkbaar enkel de zon geweest die zijn verbeelding verhit had, want nu, met zijn hoofd in de schaduw, zag hij in de hof vol strootjes enkel twee haveloze wezens: een jongen in gescheurde kleren en een pony met een drekkig achterbeen. Het enige mysterie waren hun zware blauwe schaduwen en het ongelooflijk helle licht op de brokkelige stalmuren, een licht dat hij in Londen maandenlang had moeten missen. En juist door die tergend helle zon voelde hij zijn verdriet des te dieper.

De waard zat met de jongste van de twee Albanezen nog steeds aan hetzelfde tafeltje, waarop zij al overdadig gemorst hadden. In de fles mastiek stond enkel nog een bodempje. Hij beduidde de waard dat hij een lange wandeling wilde maken en vroeg hoe de straat heette opdat hij de herberg na donker gemakkelijk zou kunnen terugvinden. 'Iedereen weet waar "Grand Hotel London" is, heer!' zei de waard trots. 'Maar vraag liever naar de "Herberg met het Hoefijzer", die naam kent het volk beter.'

Hij pakte Raine bij de mouw en schoof hem naar de ingang. Tegen de deurstijl was op manshoogte een hoefijzer gespijkerd. Hij sloeg zich op de borst, stak de duimen in zijn vestzakken en ging voort: 'Eenmaal werd hier onder mijn dak een opstand beraamd die gelukkig afliep en de grootste invloed had op Albaniës lot. Vandaar dit onsterfelijk teken. Tot weerziens, heer! Ik wens u een vrolijke dronk!' En met de afgemeten schreden van een man die de alcohol gewoon is en zelfs in de roes werktuiglijk zijn evenwicht bewaart, schoof hij plechtstatig terug naar het tafeltje.

Voor een diep verdriet deugt enkel een diepere dronk en het was zeer laat toen Raine thuiskwam. Een nachtwacht met een tijdklokje op de borst had hem teruggebracht naar de straat waar "Grand Hotel London" lag en hij schoof doezelig de lauwe nacht door in de richting van de herberg. Opeens stond hij verbaasd stil recht tegenover de versleten letters. Zonder het te merken was hij op de tegenoverliggende stoep geraakt. Met de armen voor zich uitgestrekt stak hij de straat over. Was dit de herberg wel? Opeens dacht hij aan het hoefijzer en hij schoof zijn hand omhoog langs de rechterdeurpost. Zijn nagels krabden over splinterende spijkergaatjes: het hoefijzer was verdwenen. Een gevoel van onbehagen en gemis maakte zich van hem meester. Hij stommelde op de tast naar zijn kamertje, stak de kaars aan en begon in zijn rugzak te woelen. Alles lag op zijn plaats. Alleen de grote Steyr-revolver was verwenen en ook de twintig patronen die hij vanwege het douaneonderzoek in een lege sigarettenkoker gestopt had. Hij wierp zich met al zijn kleren aan op het bed en probeerde na te denken. De prefect had hem de wapenvergunning geweigerd onder voorwendsel dat het land volkomen rustig was. Wel had hij een fraaie en onbegrijpelijke aanbeveling vol stempels gekregen. Protesteren bij de politie kon dus niets baten. Toch wilde hij zijn rechtsgevoel bevredigen en weten wie de dader was. Hij stond op en woelde weer door de rugzak. Onderin hoorde hij het gerinkel van geld. Het was een klein linnen zakje met zilveren leks en drie aan elkaar gespelde dollars. Tussen de dollars een papiertje met kinderlijk kromme letters: 'Dit is het spaargeld van Leonard als pand voor de revolver, die de heer weldra terugkrijgt, zowaar ik leef en Maria mij helpe.' (Dit laatste onderstreept.) 'Verraad mij niet.' (Weer twee dikke strepen.)

Raine staarde in het kaarslicht dat spottend over het zilvergeld speelde. Hoe had de jongen gevoeld dat hij van Raine op aan kon? Hij herinnerde zich gezegd te hebben dat hij twee revolvers bezat en Leonard had zich eenvoudig het recht toegeëigend er een te lenen!

Een vreemde gewoonte! Maar het was hier een vreemd land en God weet wat de jongen met het wapen ging uithalen. Een wanhoopsdaad waarschijnlijk, want hoewel hij Maria aanriep had hij het hoefijzer meegenomen...

Maar Raines laatste gevoel voor hij insliep, was schaamte omdat hij de jongen van geldzucht verdacht had. En tevens een vage bevrijding omdat het wapen weg was, waarom, dat kon hij in zijn halve droom niet meer ontdekken. In elk geval besloot hij te zwijgen.

Twee

De volgende middag nam hij een gids aan, een Malissoor uit het achterland bij het Skelzen-gebergte. Het was een grijzende kerel met scherpe snorren en een traliewerk van rimpels op zijn benig voorhoofd. Al pratende haalde hij telkens met een ruk zijn witwollen broek op die hem zo diep op de heupen hing, dat het zitvlak als een lege blaasbalg achter hem aanflapperde. Toen zij de dag daarna door de winderige voormorgen op weg gingen, vroeg Raine hem spottend waarom hij zijn zijden gordel een handbreed boven zijn broekrand droeg. Hij antwoordde plechtstatig: 'Tegen de lendenkou, heer, en om mijn pistolen vast te houden!' En met een gebaar van trots klopte hij op de twee geweldige kolven die uit de roodgele zij staken en keek Raine zo goedig en vaderlijk aan, dat deze met een gevoel van volkomen veiligheid het eerste sombere dal binnentrok. De wind nam toe en Raine hoorde in het brullen van de bergbeek nauwelijks het geknars van zijn schoennagels over het rotspad. Vijf pas voor hem uit liep de gids, met sluipende voeten zeker van steen tot steen stappend alsof hij ze alle sinds jaren kende en met gesloten ogen vinden kon. Een dunne telefoonlijn zwiepte van paal tot paal die onontschorst tussen steenbrokken ingeklemd waren. Hoog tegen de helling stonden drie huisjes, witte klompen met een leidak zonder schoorsteen. Tegen een van de zwarte deurgaten stond een vrouw die hen lang nastaarde. Bij de volgende bocht van het pad begon een diepe kloof in de kalkrots. De randen liepen langzaam naar elkaar toe en over het smalste gedeelte lag een brug van gevlochten takken.

Vijf meter beneden hen bromde het water. Kleine forellen ijlden door de groene schaduw. Ineens, hoog boven zich, hoorde Raine een snerpend: 'Ohe! Olahe!' Een kind antwoordde en uit de groene verte kwam een mannenstem, die donker aanzette en hoog oversloeg. Weer begon het vrouwengillen, dat de kinderstem in hoge volgelkreten overnam en verder zond. De echo's kruisten elkander en schenen door de blauwe lucht boven de dalwand dunne lijnen te trekken, werkelijk en toch onzichtbaar, wezenlijk en onwezenlijk als het spoor van de wendende en kerende forellen in het groene water. Wat beduidden die stemmen? Er was veeleer schrik in de geluiden dan dreiging. Raine zocht de roependen, maar boven het lage beukenloof hing de dalwand vol vlierstruiken en hagedoorn. Hij keek vragend naar de gids die juist zijn tabaksdoos openmaakte. Eerst toen hij de sigaret had dichtgelikt wees hij naar de dunne telefoondraad: 'Dit is de telegraaf der Malissoren, heer,' zei hij grinnikend. 'Nu weet de verste dalbewoner dat ik op weg ben met een vreemdeling, wie die vreemdeling is en hoe hij eruitziet. De twee boeren die ginds over het pad aankomen met hun ezel zijn gerust: zij weten dat wij geen kwaad in de zin hebben. En over een kwartier weet ook het volgende dal dat er twee vredige voetreizigers in aantocht zijn...!'

Raine tuurde naar de dennenbossen die duizend meter hoger hun ruige rand tegen de hemel tekenden. 'Een kwartier?' zei hij spottend. 'Hoe gaat dat dan?'

'Daar zorgen de herders wel voor! Nog hoger dan die bossen, vlak onder de hemel, zijn weiden waar kinderen de schapen en geiten hoeden. Wanneer ze een stem horen van uit de diepte of een tromgeroffel dat gij niet begrijpen zult, maar dat voor ons zijn betekenis heeft, schreeuwen ze het nieuws verder. Geen daad die onbekend blijft in de bergen...'

Hij keek Raine zo somber aan dat deze lachen moest. 'En wat zijn dat voor grote daden, vriend?' zei hij luchtig.

De gids haalde de schouders op, klopte met zijn geweerkolf tegen de stenen om zich te overtuigen dat er geen slangen waren en ging toen rustig zitten. De zon had hen ingehaald en de rots werd langzaam heet. Overal rondom begon het geritsel der hagedissen. Kleine witte wolken dreven met rafelende randen omhoog naar de zon. En ook het water dat zich dof en dreigend door de morgen stortte werd opeens tintelend.

'Gij kent de Malissoren nog niet, heer,' zei de gids, terwijl zijn vingers heen en weer gleden langs de geweerriem die donker was van het zweet. 'Zie de twee boeren, die achter hun ezeltjes aansukkelen. Indien gij ze zwijgend voorbij waart gegaan zouden ze u veracht en gehaat hebben. Maar indien ge hun een lang leven gewenst had zoals de volksgroet hier luidt, dan hadt gij als vreemdeling twee vrienden verworven. Ze zijn trots en argwanend maar ook trouw als een kind of een hond. En wanneer men ze beledigt, zijn ze tot alles in staat...'

Hij zag Raines opgetrokken wenkbrauwen en ging door: 'Tot alles wat men in de stad sinds geslachten vergeten is... Gij kent de mannen van ons volk nog niet, hun armoede en hun rijkdom! Wat brachten die boeren naar de markt? Uien, niets anders. Wanneer ze morgen twee van hun vier manden verkopen, hebben ze weer geld genoeg voor maïs en voor een weinig tabak. Verder bezitten wij boekweit, die dikwijls niet rijp wordt, en kleine aardappelen hard als geweerkogels. Op grote feestdagen wordt soms een schaap geslacht, verder leven wij van melk en maïsbrood...'

Hij sprak snel en ontevreden en loerde telkens opzij naar het pad. Maar opeens sloeg hij heftig met zijn hand op de steen: 'Neen, heer, gij kent onze rijkdom niet. Onze rijkdom' (en weer kwam de ontevreden trek rond zijn mond), 'dat zijn onze uienakkers niet, noch onze bergweiden waar het gras soms halverwege de zomer al verbrandt.' En toen, met schitterende ogen: 'Ons echte bezit, dat zijn onze eer en onze vrouwen. En die kent gij nog geen van beiden.'

Hij toonde zijn sterke gele tanden en lachte breed. 'En dat bezit verdedigen wij,' zei hij, terwijl hij langzaam zijn ogen toekneep, 'hiermee...' En snel alsof hij een vlieg ving, sloot hij zijn hand met een klap rond de glimmende geweerloop.

Raine sjouwde glimlachend verder. Maar binnen in zijn botten voelde hij een vage ongerustheid alsof de kerel hem toegeroepen had: 'Houd het u voor gezegd!' Hij dacht aan Leonard en diens vreemde gedragingen. Leonard was ook van dit slag, een kleine Malissoor met nog dromerige kinderogen, die een revolver stal om de eer te verdedigen... van wie? Wat kon een knaap als hij met vrouwen te maken hebben?

In het eerste dorp, zeven armoedige huisjes rond een gendarmeriepost waarvan de vloer weggevreten werd door de ratten, was niets te krijgen dan maïsbrood en melk. Maar Raine wilde nog voor de avond een uitzichtspunt bereiken om zich rekenschap te geven van de bergformatie. Ze verlieten de beek die in de middaghitte trager scheen te stromen en namen een pad dat met steile sprongen in de groene bergwand steeg. Heel het bos was gevangen in de volle warmte van de voorzomer. Maar het loof van de lage eiken stond nog strak en puntig in de blauwe lucht en elk half uur glommen drasplekken op het pad, waar het water uit dikke graspollen omlaagsiepelde. De gids schoof onverschillig voorbij, zijn magere ruggegraat krommend bij elke stap, maar Raine liet het water over zijn bezweet gezicht spoelen, zoog een mondvol door zijn tanden naar binnen om geen aarde mee te krijgen, en blies dan weer verder, de vliegen van zich afslaand die in een wolk met hen meezoemden door de statige woudstilte.

Laat in de middag bereikten ze het eerste naaldhout. De bergwand begon zich te ronden en wanneer Raine omhoog keek zag hij tussen de uiteenwijkende dennen de vrije hemel naderen. Een kleine herder dreef zeven geiten omlaag. Hun vachten waren lang en zijig en Raine zag hoe hun rechtopstaande pupillen groot geworden waren in de schemering. Raine vroeg de jongen een wijsje te spelen op zijn dunne houten fluit, maar hij schudde met open mond van neen, trok haastig zijn gescheurde linnen broek op en holde verder.

Het pad werd vlakker en een verre bergrand sprong boven de wenkbrauw van de heuvel uit. Dit was de hoofdketen, waarvan zij gescheiden waren door een dal vol diepe groene stilte. Hij wilde zijn kijker te voorschijn halen, maar opeens hoorde hij stemmen en bleef getroffen staan. Rechts, waar het bos omlaag liep naar een derde dal, kwamen twee mannen en twee vrouwen te voorschijn. Vooraan een oude vrouw met uitgebrande ogen en een oud kereltje dat met zijn mouw zijn snorren afveegde, waaruit het water omlaag droop. Achter de bomen moest dus een bron zijn... Raine was dorstig van de lange stijging, maar hij dacht niet aan drinken en staarde onafgebroken naar de jonge man en de nog jongere vrouw achter de twee oudjes, die hand in hand glinsterend door de schemering gingen. In het rode avondlicht was haar hele bovenlijf een kleurenbrand van goudborduursel, dunne gouden kettingen en een driedubbele rij gouden dukaten die in wijde bogen over haar zilveren gordel tot op haar roodgouden schort hingen. Maar wat Raine ontroerde was de kinderlijkheid van haar handen en haar mond. Terwijl de jongeman zachtjes met de gids sprak bleef hij haar onafgebroken aanstaren en hield haar rechterhand vast alsof zij een klein kind was, onderwijl krabde zij met haar roodgeverfde nagels verlegen langs de randen van haar zilveren kruis. Zij stonden fluisterend met zijn vijven in de rode avond, met hun ruggen naar de witte bergketen. Hun gestalten werden langzaam zwart. De laatste glinstering doofde uit de dukaten van de jonge vrouw. Ook de geweerlopen der Malissoren waren zwart. Ergens in de diepte speelde de kleine herder nu op zijn fluit. De avondlucht was diep en vochtig en de noten schenen van vlakbij te komen.

De gids nam afscheid en drukte zijn wangen tegen die van de jonge man. Hij gaf ook de jonge vrouw de hand en het viel Raine op hoe stijf zij haar arm hield. Toen de vier voorbijkwamen groetten ze Raine met een statige hoofdknik en de kettingen van de jonge vrouw rinkelden.

'Wie waren dat?' vroeg Raine nieuwsgierig terwijl hij langzaam zijn rugzak schouderde.

'Een bruidegom en zijn bruid, heer,' antwoordde de gids. 'Zij begeleidden de ouders die haar brachten een eindweegs naar huis terug.'

Raine herinnerde zich het innige staren van de jongeman en zei lachend: 'De bruidegom keek haar aan alsof hij haar voor het eerst zag!'

'Maar dat is ook zo, heer! Vanmiddag is zij tot hem gekomen en heeft hij met eigen hand de sluier weggetrokken. Dit is Malissorenzede...'

Raine keek om, luisterend naar het vage fluiten van de kleine herder. De witte hoofddoek van de bruid verdween juist tussen de zwarte dennen. De gids greep hem hard bij de schouder. 'Luister, heer,' zei hij schor. In de verte bonsde een trommel. De gids liet hem los, stapte wijdbeens naar voren en wiegde zijn bovenlichaam langzaam rond alsof hij de richting van het vage dreunen zocht. Het klonk nu dieper en dichtbij: een windvlaag plakte het kletsnatte hemd aan zijn borst en overal prikkelde hem ineens het zweet. De gids bracht de handen opzij van zijn oren en boog zich luisterend naar het oosten, waar woud en hemel nu bijna één waren van kleur. De trommel verstomde na een drievoudig galmend gedreun. Een tweede ving aan, zwakker en nog verder weg. Of was het enkel de echo van de eerste?

De gids draaide zich met een ruk om en sloeg zijn handen tot een trechter voor zijn mond. Een ogenblik scheen hij zich te bedenken en Raine hoorde hem heftig ademen. Maar toen, terwijl hij zijn hoofd met een ruk naar voren wierp alsof hij het wilde weggooien, klonk zijn razende roep door de stilte: 'Ohe! Olahe!' Raine herkende zijn stem niet, zij was hoog en hees. De stem riep onbegrijpelijke Albanese woorden in een vaste cadans. Een heldere mannenstem antwoordde schijnbaar van vlakbij. Het moest de bruidegom zijn die riep, want het geluid kwam uit de richting waarin de witte hoofddoek verdwenen was. En deze tweede stem riep dezelfde woorden die de gids uitgestoten had nu verder door de rode avond. Maar de tonen waren doffer, alsof de spreker zich omgewend had en nu omlaag schreeuwde naar de vallei. Meteen klonk, in plaats van het herdersgefluit, een hoge kinderstem, even snel en heftig als de andere. Zo rap volgden de stemmen op elkander, telkens verspringend van toonschaal, dat het scheen of een melodie omhoogliep langs de snaren van een violoncel. Daarna stilte. De gids siste zachtjes tussen zijn tanden. Boven de wouden, dof beslagen door nevel, stond de avondster.

Raine voelde hoe het zweet hem opnieuw langs het voorhoofd liep.

'Wat is dat nu weer?' vroeg hij fluisterend. Maar de gids ging schouderophalend op weg. Na tien schreden stonden ze in het donker van het bos.

Raine herinnerde zich het oude kereltje met de druipende snorren en vroeg naar de bron. De gids knikte. Geen vijf pas verder blonk een plas opzij van een houten trog. Boven de trog stond een kruis en toen Raine knielde hoorde hij het heldere sijpelen van water. In het zwakke licht dat het water terugwierp zag hij op de zijarmen van het kruis twee vogels zitten, met de scherpe snavels naar omlaag. Ze schenen zo echt dat hij de hand naar het kruis uitstrekte om zich te overtuigen dat dit enkel snijwerk was.

De gids uitte een kreet: 'Raak ze niet aan, heer!'

'Waarom niet?'

'Weet de heer dan niet dat de raaf een dodenvogel is?' zei de gids spottend. En toen, ernstiger: 'Bij deze bron werd iemand ruggelings doodgeschoten...'

Raine voelde het klamme plakken van de kleren tegen zijn lijf. En opeens, terwijl hij zijn lippen in de plas duwde en langzaam het duistere water slurpte, zag hij Leonard in de zonnige herberghof vol drek en strootjes staan, uit alle macht starend naar de bergen terwijl de borstel hem uit de hand gleed. En toen hij de rugzak weer oppakte hoorde hij het rinkelen van de zilverstukjes, Leonards naïeve betaling voor de grote Steyr-revolver.

Tien minuten later struikelde Raine de boerderij binnen waar zij slapen zouden. Midden op de lemen vloer brandde een breed vuur. De rook wolkte door het gat in 't dak naar buiten. Een pot met melk hing in de blauwe walm. Hij stamelde 'Een lang leven!', de volksgroet die hij onderweg geleerd had, knielde naast het vuur dat zijn schenen roosterde en tipte de pot naar zich toe. Een ogenblik lang was hij Leonard, de revolver, het dreigende geschreeuw en de dodenvogels vergeten; hij dronk met gesloten ogen en voelde hoe een lauwe warmte door zijn lichaam liep. Toen hij opkeek was de boerderij leeg. De lage tafel lag vol kruimels. Raine veegde ze samen op zijn handpalm: het was oud maïsbrood. Toen hij de rest over de grond veegde schoot vanuit het achterhuis een kip gakkerend langs zijn benen. Hij schrok, lachte om zijn domheid en trad met kloppend hart naar buiten. De gids stond voor de deur, zwijgend op zijn geweer leunend. Vanuit de diepte klonk het rustig gezang van een bergstroom.

'U moet zich melden bij de gendarmeriepost,' zei de gids. 'Geen honderd meter hier vandaan. Pas op, het pad loopt omlaag.' Waarom was er zoveel spot in zijn stem?

De post was op de zolder van een tweede boerderij gevestigd. Het rook er naar oud stro en naar vers ingevet leerwerk. Twee mannen zaten bij het vuur en speelden kaart op een lege conservenkist. Raine zag hoe op de britsen minstens plaats voor twintig was. De oudste, een sergeant met afgezakte beenwindsels, heette hem knorrig welkom en spelde langzaam zijn legitimatie uit, terwijl hij met zijn vinger bijwees. Toen knikte hij, stond op en salueerde met een scheve glimlach. Meteen begon hij bars en opgewonden met de gids te praten, die schouderophalend antwoordde en eindelijk op Raine wees. De sergeant trok zijn gezicht weer in een glimlach, maar zijn kleine ogen bleven boos en hij wuifde nijdig met de hand ten teken dat ze konden vertrekken.

Er was een lichte wind opgestoken en het woud boven hen beantwoordde suizend het waterruisen in de diepte. Het vuur in de boerderij brandde nu laag en een oud vrouwtje roerde in de melk. Ze moest zeer slecht van gezicht zijn, want nadat ze hem een lang leven gewenst had stak ze een kienspaan aan om in de pot te kijken waarin de melk juist wit omhoogschuimde. Raine hielp haar de pot van de ketting tillen en ze keek hem schuw aan met haar ontstoken ogen. Toen hij rinkelend een paar zilverkronen op tafel legde, haastte zij zich naar het achterhuis en kwam terug met een schort vol eieren. Een half uur later strekte hij zich verzadigd uit naast de gids, met zijn hoofd op de harde rugzak en sliep.

Midden in de nacht hoorde hij aanhoudend lopen en een paar maal een bars geroep, maar in zijn oververmoeidheid slaagde hij er niet in zijn oogleden van elkaar te krijgen.

Hij ontwaakte in de schemering, met de hand van de gids op zijn schouder. De halfdonkere ruimte rook naar zurig zweet. De gids wees naar links, waar drie paar benen onder een brede schapenvacht uitstaken. Raine kon de hoofden niet zien, want tussen hem en de slapers stond het lage tafeltje, waarboven drie geweerlopen uitstaken. 'Uw gastheren,' fluisterde de gids. De slapers snurkten en Raine glimlachte, maar het ogenblik daarop had hij er spijt van. Voor de gids was het uizicht op drie paar wollen benen blijkbaar geen reden tot vrolijkheid, want de kruiselingse rimpels op zijn voorhoofd werden opeens zeer diep. 'Ik wilde enkel dit zeggen,' fluisterde hij, 'wanneer straks de gendarmes komen zullen ze u vragen wanneer deze mannen thuisgekomen zijn. U zult zeggen: om tien uur in de avond. Wees niet bevreesd een leugen te vertellen om uw gastheren uit een grote moeilijkheid te redden. Ik vertaal vraag en antwoord en wanneer er een vergissing plaatsgrijpt ben ik natuurlijk de schuld. Begrepen?' Hij staarde Raine angstig aan.

'Goed,' fluisterde hij terug, 'op een voorwaarde. Wij gaan straks naar het dichtstbijzijnde uizichtspunt, waar ik de bergen wil tekenen. Daar vertel je mij alles.'

De gids sloot glimlachend zijn ogen en knikte. Nog voor Raine de laatste brok hard maïsbrood naar binnen gewerkt had stonden de gendarmes voor de deur en Raine vertelde koelweg zijn leugen. Toen ze weg waren bood hij allen de goudkleurige Albanese tabak aan en stopte zelf zijn morgenpijp met een pikzwart Engels mengsel.

Drie

Zij zaten aan de hoge woudrand die ze de vorige dag in het donker gekruist hadden. Achter hen ruiste de wind door de takken, voor hen staken tientallen zwarte stompen rechthoekig op de verre witte bergketen omhoog. Raine klopte zijn pijp uit tegen een van deze geblakerde resten en vroeg: 'Hoe komt het dat deze helling kaalgebrand is? Bliksemvuur?'

De gids haalde zijn schouders op. 'Verleden jaar, heer, was het een droge zomer met zeer weinig gras en de geiten bleven zo mager dat de herders een paar dozijn eiken neergebrand hebben, de heer weet misschien dat geiten veel van eikeloof houden...' En toen hij Raines verwonderde blik zag: 'Wij Malissoren kijken niet op een paar bomen. Wij zijn zuinig, maar soms verspillen wij alles, ook wat ons dierbaar is, zelfs ons bloed...'

Hij ging langzaam door: 'Ik zou u het verhaal vertellen. Ik zal geen namen noemen, maar ook zonder namen zult gij nu de Malissoren begrijpen. Houd ons voor driest, moordziek, slecht, opstandig, wild, maar erken dat wij mannen zijn.'

Hij scheen opgewonden, trok aan zijn grijze snor, sloeg met de gebalde vuist op de kolf van zijn geweer en waaierde toen snel met een takje om zich heen om de vliegen weg te jagen. Raine zag dat de vallei tegen wier westrand hij die nacht geslapen had zich naar het noorden toe, waar de wilde hoofdketen was, versmalde. De oostrand golfde in de typische vorm die eruptief gesteente heeft. Alleen daar zou koper te vinden zijn en alles hing er nog van af of de lagen lonend waren...

De gids pakte Raines arm en duwde die in de richting van de rechterdalwand. 'Dat zijn de Groene Bergen, heer,' zei hij plechtig. 'Daar woonde... laten wij hem Raouf noemen, voor hij zo dom was zijn jonge vrouw alleen te laten en als werkman naar Joegoslavië te gaan. En daar, in diezelfde groene heuvels, schoot Raoufs jonge broer gisterenavond de minnaar van zijn schoonzuster neer...'

Raine keek de gids vol aan. 'Waarom heten die bergen groen?' vroeg hij ademloos.

'Omdat ze hier en daar groen uitslaan,' zei de gids ongeduldig. 'Er zijn er die beweren dat er metalen in de bodem zitten, maar dat doet er niet toe... Al een paar jaar geleden trouwde Raouf (hij is mijn achterneef) met Katharina uit Theth, een dorp vijf uur hier vandaan. Zij was zeer mooi, maar geldzuchtig en Raouf was zo dom naar haar te luisteren. Voor hij zes maanden wegging om veel geld te verdienen, vertrouwde hij zijn bezitting en zijn vrouw aan zijn vijftienjarige broer toe...'

Raine beet op zijn pijp. 'Wat?' zei hij hard, 'een jongen van vijftien jaar?'

De gids trok zijn wenkbrauwen op, zodat zijn rimpels als een rits halve manen op zijn voorhoofd stonden. 'Is daar iets bijzonders aan?' zei hij spottend. 'Een Malissoor van veertien jaar is een man, heer!' Hij liet het takje vallen, sloeg bijna vrolijk zijn gebalde vuisten op elkaar en ging door: 'Zodra de jongen, nu niet lang geleden, ontdekte dat een ander zijn schoonzuster verleid had, verbood hij hem de boerderij. Maar de huwelijksschender stoorde er zich niet aan en om alle gevaar te ontlopen stal hij het geweer van de jongen, een oude Turkse voorlader. De jongen, laten wij hem Remzi noemen, verdween diezelfde dag op zijn pony en sinds die dag waren gisterenavond precies vijftien dagen verlopen.'

'Wat voor kleur had de pony?' vroeg Raine.

'Heer, gij stelt vreemde vragen!' zei de gids, terwijl hij zijn schedelkapje naar achteren schoof. 'Nooit zult gij de Malissoren leren begrijpen. De pony was een vos!'

'Met een witte voorvoet,' mompelde Raine. De gids strekte smekend de hand naar hem uit maar zijn ogen stonden boos. 'Gij denkt geestig te zijn, heer! maar bedenk dat dit een verhaal is van leven en dood! Inderdaad, de pony had een witte voorvoet, maar zo zijn er vele en gij hebt dus toevallig goed geraden. Maar wat gij niet raden kunt, is waarom de jongen naar de stad reed in plaats van bij voorbeeld mijn geweer te lenen.'

'Misschien om te trachten de pony te verkopen,' zei Raine zo aarzelend mogelijk.

'Juist, heer! Want zijn trots was nog groter dan onze trots!' Zijn stem gleed omlaag tot een gefluister. 'En daarom ook hebben wij hem bevrijd, tegen de nieuwe wet in.'

Raine richtte zich half uit het gras op. 'Is hij ontsnapt?' zei hij gespannen.

'De heer begint bewondering te krijgen,' zei de gids tevreden. 'Het werd tijd, want een tweede als Remzi is er niet.'

Hij strekte zijn gescheurde mouw in de richting van de keten vol vuile zomersneeuw en roeide met zijn arm de noordelijke horizon rond. 'Ik weet niet waar zijn voetstappen staan, heer, maar zeer zeker hoog en ver. De wet zal hem niet bereiken, want de gendarmes, meestal mannen uit de vlakte, zijn slechte klauteraars.'

Hij zweeg en staarde verrukt naar de witte bergen waarover de schaduwen van stapelwolken vaagden die de stijgende zon uiteendreef. Toen wierp hij zijn geweer in het gras en sloeg zijn handen gekromd voor zijn ogen, alsof hij door deze kleine kijkers het spoor van de vluchteling wilde ontdekken in een van de sneeuwslippen die over het donkere graniet omlaaghingen.

'Maar wat gebeurde er verder?' drong Raine aan.

De gids keek spottend om. Hij ging rustig zitten, graaide door het gras en vond een beukenootje dat hij langzaam begon te pellen. 'Waarom raadt de heer dat niet?' zei hij grinnikend. 'Hij heeft toch geraden van de witte voorvoet en van de verkoop van de pony? Op dit laatste durf ik trouwens niet te zweren,' ging hij hoofdschuddend voort. 'Ik weet enkel dat deze Remzi, die te voorzichtig en te trots was om van ons een wapen aan te nemen, zich in Scutari binnen twee weken een revolver verschaffen kon door noeste en nijvere arbeid, want wanneer wij Malissoren werken, werken wij hard.'

Raine lachte en klapte in zijn handen.

De ogen van de gids fonkelden. 'Ja, heer,' zei hij, 'gij kent ons nog niet! Gij weet niet wat ons liefste werk is: strijden voor onze eer! Voor dat werk is geen moeite te veel!'

Hij haalde zijn tabaksbuidel te voorschijn, koos een papiertje dat hij tegen het licht hield, schudde de lange blonde draadjes in zijn handpalm en ging door met een donkere stem, alsof hij met moeite zijn ontroering terughield: 'Zodra de jongen de revolver had, verliet hij Scutari en liep in één nacht naar Shen Margarita, waar zijn huis staat. Toen hij in de morgenschemer aankwam sliepen de gelieven nog. Nadat hij zich van hun schuldig samenzijn overtuigd had, liep hij naar het huis van de huwelijksschender, maakte de stal open en dreef de twee koeien naar een bergwei. Daar bleef hij geduldig wachten, verstopt achter een rots, hij wist zeker dat de kerel op zijn koeien af zou komen.'

Terwijl hij sprak beefden zijn handen zo dat de helft van de tabak uit het papiertje viel. Aanstonds begon hij met duim en wijsvinger in het gras te wroeten en schikte de tabaksdraden zorgvuldig op het papiertje. Nog met zijn gezicht naar de aarde gekeerd ging hij dof door: 'Om vier uur gisteren namiddag viel het schot.

Raoufs eer was gewroken. En Remzi vluchtte de bergen in.'

Hij likte de sigaret dicht en loerde met vochtige ogen naar Raine. Terwijl zijn mond trilde vertrokken al zijn voorhoofdsrimpels in een vreugdevolle ontroering.

Toen Raine zweeg, begon hij schouderophalend naar zijn tondel te zoeken.

Raine reikte hem de lucifers en zei zacht: 'De jongen heette niet Remzi, maar Leonard. En de revolver was een Oostenrijkse parabellum, merk Steyr. In de kolf stond een R gekrast.'

De gids liet een lang gefluit horen dat de brandende lucifer uitblies. Toen Raine hem aankeek zag hij enkel zijn ogen en mond als starre grote gaten, alsof de schrik ze wijd had opengescheurd. Terwijl hij Raine bleef aanstaren zochten zijn vingers graaiend de sigaret, die in het gras gerold was. 'Knap geraden, nietwaar?' zei Raine goedig. Hij schoof zijn hoed met een ruk op zijn rechteroor om aan de zon te ontkomen en ging door: 'Leonard stal of leende de revolver van mij in "Hotel London" te Scutari, waar hij werkte. De R betekent niet Remzi, maar Raine, mijn naam. Dat hij mijn revolver leende zonder het mij vooruit te vragen neem ik hem niet kwalijk. In zijn plaats en op zijn leeftijd... zou ik misschien hetzelfde gedaan hebben. Aanklagen zal ik hem niet...' Ineens kon hij zich niet meer inhouden, pakte de gids bij de schouders en schudde hem ruw heen en weer. 'Hoe liep het af?' zei hij grimmig.

In de ogen van de gids tintelden lichtjes. Hij greep Raines handen en drukte hem zijn stoppelbaard beurtelings tegen beide wangen. 'Verontschuldig mij, heer!' zei hij, 'gij kende de Malissoren niet, maar ik kende uw groot en goedgunstig hart niet! Gij zijt onze broeder.'

Raine voelde het hete bloed in zijn wangen. Hij stampte op de grond en zei hard: 'Ik vroeg hoe het afliep?'

De gids had eindelijk de sigaret teruggevonden en klemde die tussen zijn brokkelige tanden. 'Gij hebt de gendarmeriepost gezien, nietwaar? Die is daar sinds acht maanden... Want vroeger was ieder man, na God en de priester, hier zijn eigen rechter.' Hij bekruiste zich snel en ging door: 'Nu zijn er een bende vlegels uit de vlakte, die meestal de Malissoren niet kennen en ons besturen willen naar onbegrijpelijke boeken die in de hoofdstad gedrukt worden. Sommigen onzer zijn vóór de nieuwe wet die de bloedwraak verbiedt, maar de meesten, godlof! zijn tegen.' Hij fronste de wenkbrauwen en spuwde krachtig in het gras. 'Een van deze afvallige honden, die Leonard had zien weglopen, verried hem aan de postcommandant. Achttien man togen uit om hem te zoeken. Hij wist niet dat hij verraden was en werd tegen de avond gevangen bij de Blauwe Stenen.'

'Waarom de Blauwe Stenen?' zei Raine. 'Maar ga liever door, het komt er niet op aan.'

'Gij hebt gehoord hoe de kreet door de avond vloog, heer? Het was een roep die alleen de getrouwe Malissoren kennen, de waarschuwing dat een van hen wederrechtelijk gevangen was en weggevoerd werd. Want zo'n angst hebben de gendarmes voor ons dat zij de jongen dadelijk, in weerwil van de nacht, naar de volgende post, Prekali, omlaag wilden voeren. Ergens in het bos ontmoetten zij een aantal gemaskerde Malissoren...'

De gids grinnikte en trok zijn halsdoek omhoog om zich te beschutten tegen de fellere zon. 'Er werd geen druppel bloed verspild. Het ging er slechts om Leonard te bevrijden. Zelfs zijn of liever uw revolver kreeg hij terug. De worsteling duurde geen drie minuten, want zodra de jongen vrij was vluchtten de Malissoren naar alle kanten. Hun doel was bereikt en ze gingen met een gerust geweten slapen...'

Raine schudde het hoofd. 'Een ding begrijp ik niet van de hele geschiedenis. Waarom heeft de jongen zijn broer niet gewaarschuwd?'

De Malissoor blies spottend de as van zijn sigaret. 'Wij zijn goede schutters, heer, maar niet velen van ons kunnen lezen en schrijven. Meestal alleen de dorpspriester. Leonard kan de pen hanteren, hij leerde het bij de priester in Theth, maar ik zeg u, nooit zou Leonard Raouf geschreven hebben. Niemand trouwens weet waar Raouf is. Misschien verkoopt hij limonade in Prizren, misschien hakt hij hout in Belgrado. En Raouf had Katharina aan Leonard toevertrouwd! Zonder deze wraak zou de jongen als een lafaard voor de hele vallei gestaan hebben. Geen Malissoor laat de gelegenheid voorbijgaan zich een man te tonen. En welk een rijp beraad toonde de jongen! Hij kende de nieuwe wet en daarom volvoerde hij de wraak alleen, met het wapen van een vreemde, wel wetend dat men u in de zaak niet betrekken zal. In elk geval is er geen gevaar,' besloot hij grinnikend, 'het wapen is waarschijnlijk al over de grens.'

'Leonard is dus naar Joegoslavië gevlucht, naar zijn broer?'

De gids knikte langzaam: 'Misschien,' en zweeg toen. Hij wees over zijn schouder naar de witte keten, maar zijn ogen staarden tersluiks naar het gouden westen waar de lucht bleek van hitte boven de bossen stond. Doch toen Raine hem aankeek, wendde hij haastig het hoofd af en begon snel te spreken.

'Nu kent gij de Malissoren, heer, al begrijpt gij ze nog niet, want gij spreekt over "moord" en wij over "daad". Uw eer is niet onze eer.' Hij wees op een groene beuk waarvan de wortels meters ver langs de helling omlaag liepen. 'Dat is onze eer. En ziedaar de uwe.' Hij klopte met zijn geweerkolf tegen een voor driekwart verkoolde boomstomp naast hem. 'Hij staat in de aarde en is niet dood; hij bot zelfs uit, daar opzij in een paar schamele takjes, maar bloeien doet hij niet.' Hij zuchtte. 'Wij zijn van twee stammen, heer, wier huizen ver van elkaar staan. Maar toch zijn de Malissoren u dankbaar voor wat gij gisteren deed en wegens Leonard. Laten wij opbreken naar Theth; onderweg vinden wij de Groene Rotsen.'

Door een wildernis van stenen bereikten zij de dalzool waar een kleine rivier stroomde. Het muilezelpad langs de stroom was bestrooid met stukken kalksteen en de zon op de witte rotsen deed pijn aan hun ogen. Zodra het licht beide dalwanden bestreek scheen alles weer te slapen. Zij ontmoetten enkel twee vrouwen, die elk aan gevlochten wollen koorden een kleine rode wieg meetorsten. Over elke wieg lag een witte doek met fonkelende roodgele kwasten. De vrouwen zweetten en de vliegen zoemden in zwermen met haar mee. Tweemaal sprong het pad over de spattende beek en bij elk van de smalle voetbruggen stond een kruis, waarvoor de gids met zijn geweer op de rug zwijgend neerknielde. En Raine vroeg zich af wat de geestelijken in dit land van de heldhaftige volkszeden dachten.

Zij rustten in de magere schaduw van een rotsblok. De gids haalde een korst maïsbrood uit zijn hemd en stond op om die in de beek te dopen. Hij had de hele dag nog niets gegeten, hoewel hij uit de boerderij twee platte maïsbroden en een dozijn harde eieren meegenomen had. Toen hij zijn korst had opgekauwd glimlachte hij tevreden als na een machtige maaltijd, schoof de witte doek met de broden opzij en rolde rustig een sigaret. Ze klauterden een gruishelling op waar een paar magere pollen lavendel bloeiden. De gids verklaarde dat dit de weg was naar de Groene Rotsen. Hogerop stond eikehakhout en brem, waar rond bijen zoemden. De wind blies en de brem was wit bepoederd.

Raine haalde zijn hamer uit zijn rugzak en klopte de rotsen af. Aan de oostzijde waar de helling omlaag plooide vond hij kwarts, zoals hij reeds verwacht had. Toen hij een van de kwartsstukken kapotsloeg, glansde een vierhoekje van pyriet in de zon. Elders vond hij loodglans. 'Er is goud,' mompelde hij, 'maar hoeveel?' Hij stopte de monsters in zijn rugzak en klauterde verder.

Achter een bosschage vond hij een vierkant gat dat met grote kwartsblokken dichtgeworpen was. De ingang van een oude mijn? Hij begon de brokken naar boven te werken, maar gaf 't weldra op; de zon stond hoog en de laag kon meters diep zijn. Hij wilde er de gids over aanklampen, maar de Malissoor was verdwenen en hij daalde langzaam naar de beek. Nauwelijks was hij beneden of de gids kwam in grote sprongen de gruishelling afzetten. Raine greep hem bij zijn wijde mouw. 'Weet je iets van een oude mijn hier in de rotsen, een goudmijn misschien? Er is een dichtgeworpen gat van een vroegere ontginning.'

De gids wreef nadenkend langs zijn voorhoofdsrimpels, waardoor de zweetdruppels omlaagbiggelden. 'Laten we het aan de pastoor in Theth vragen,' zei hij eindelijk, 'dat is de geleerdste man in het land der Malissoren.'

Opeens stond Raine stil. Hij zag, dat de gids enkel zijn geweer had. 'Waar is je mondkost?' zei hij. De gids keek hem stralend aan. 'Er zijn er meer zoals Leonard, heer,' zei hij eindelijk verlegen. 'En die moeten toch ook eten?'

Vier

Een lang vlak dal tussen hoge granietwanden in hoefijzervorm, waarlangs witte watervallen omlaag gingen: dat was Theth. Tussen de rechthoekige velden, van elkander gescheiden door keurige staketsels, liepen kaarsrechte paadjes op vierkante huizen toe. Zo bar en ruig waren de bergen met hun loodrechte geulen, donkerbuikige rotsbulten en vlijmscherpe graatkervingen, dat dit geometrisch spel der tuinen een lachwekkend verweer scheen van de mens tegen de verplettering der natuur. Tegen de dalwanden, waar de vallei opliep, lagen de akkers op terrassen door keurig onderhouden muurtjes geschoord. De grotere stenen waren uit de paden geklopt en meer dan de helft van de zichtbare huizen had een schoorsteen.

Het grootste huis droeg twee kruisen op de dakvorst. Reeds twintig schreden van de dubbele met ijzer beslagen deur vandaan nam de gids zijn witvilten kapje af en op de drempel draaide hij zich om en zei eerbiedig: 'Dit is de woning van de priester, heer.'

Zij stommelden een donkere wenteltrap op. In de haard van de grote woonkamer brandde ondanks de hitte een vuur, waarnaast een kleine jongen knielde. Hij had de blokken uit elkaar geschoven en hield twee koperen tuitkannetjes, waarin de koffie borrelde, geduldig boven de hete as. Langs de wanden liepen brede banken. Drie Albanezen, geheel in 't wit gekleed met zwart borduursel op broek en mouwen, zaten zwijgend tegenover het vuur en groetten Raine met een statige hoofdknik. Aan de muur achter hen hingen vier geweren. Pas toen hij gezeten was merkte Raine dat in het halfdonker van de verste kamerhoek een vrouw zat. Haar witte hoofddoek sneed haar voorhoofd vlak boven haar doffe ogen af. Het scheen of er licht in was en toch weer niet, of zij dood voor zich uitstaarden en toch bewogen. Dikke zwarte krullen sprongen langs haar wangen. Over haar borst kringden een half dozijn kettingen omlaag naar haar zilveren gordel. Haar rode nagels rustten precies tegen elkaar en hielden de punten van de hoofddoek vast, die beide net tot de matte gordel reikten. Zij zat zo stil dat zij op een prachtig opgetuigde pop geleken zou hebben, die als versiering in de kamerhoek leunde, wanneer zij met de rechtse van haar rode kousen niet een zenuwachtig trappende beweging gemaakt had alsof zij met die voet een spinnewiel liet snorren. Dit werktuiglijk voetbeweeg, dat in een akelige regelmaat aanhield, deed het zilverborduursel op haar zware rok van de rand tot de heup toe glinsteren. Geen van de Malissoren schonk haar enige aandacht.

Door de open ramen kwam het zware ruisen van de bergstroom. De rook van het vuur pufte af en toe naar de donkere zoldering van het zwijgende vertrek. In de verte lag de zon op de landen. De kleine jongen roerde langzaam in zijn koffie. De Malissoren en Raine rookten en sloegen vliegen weg. Alleen de vrouw zat onbeweeglijk op haar rode rechterhiel na, die uit de pantoffel gegleden was.

De jongen was klaar met zijn koffie, stond op en schoof met zijn voet de blokken naar elkaar toe. De vonken knetterden en een lichtgloed sloeg door het vertrek tot in de donkerste hoek. Het was of de vlam over de vrouw omhoogliep, van haar rode kousen tot haar witte hoofddoek.

En opeens zag Raine met afgrijzen hoe rond haar gezwollen oogleden zwart de vliegen kropen.

De priester kwam binnen. Hij had grote blote voeten in sandalen en grote handen, waarover de Malissoren, die met een ruk waren opgestaan, zich een voor een heenbogen. Zijn brede rug in de bruine pij was gekromd en toen hij voor Raine stond, zag deze dat hij met een misschien vijftigjarige man te doen had. Hij nam Raines hand, keek hem met harde ogen aan en zei: 'Gij spreekt zeker ook Duits? Welkom in onze wilde bergen. Uw gids zegt mij dat gij een groot tovenaar zijt en een man van wetenschap. Mijn huis is het uwe. Vergun mij dat ik mij met deze brave boeren bezighoud, die in plaats van naar mijn stille mis te luisteren hier om koffie zitten te bedelen...'

Eerst toen hij zijn zin beëindigd had liet hij Raines handen los, gaf hem tot zijn verwondering een snelle knipoog en wendde zich tot de oudste van de boeren die een papier met stempels uit zijn witte tuniek haalde. Weldra zaten de twee in ernstig gesprek bij het raam. Terwijl allen de zwarte koffie slurpten uit kleine porseleinen kopjes vloog de pen van de priester over het papier. Telkens luisterde hij aandachtig naar de aarzelende woorden van de boer en knikte toestemmend of schudde heftig van neen, waarbij hij zijn brede mond krachtig omlaag kromde. Maar telkens wanneer de boer dan eindelijk het hoofd boog ten teken van toestemming, na bij wijze van protest langs de rand van zijn schedelkapje gekrabd te hebben, zag Raine hoe de harde ogen van de priester zacht werden en de spot of het erbarmen trokken twee kleine kringetjes rond zijn mondhoeken. Alleen zijn voorhoofd, glad en rimpelloos als een gepolijste steen, bleef even hoog en hard.

Een voor een trokken de boeren af, de eerste met zijn verzoekschrift, de tweede met een doos pillen, de derde met kruiden voor de maag. De gids was met de jongen naar buiten gegaan en Raine hoorde hoe de twee hout zaagden. Aan de muur hing nog een dubbelloopsjachtgeweer met de loop naar beneden. De vrouw zat nog altijd in de hoek, haar gezicht vol zoemende vliegen. Nu was het haar linkervoet die bewoog, zo snel alsof haar leven van dit krampachtig trillen afhing. De priester, die de boeren telkens uitgeleide deed, kwam terug, liep recht op de vrouw toe zonder aandacht aan Raine te schenken en legde zijn handen op haar schouders. Zijn schedelkapje was een witte vlek in de donkere kamerhoek en Raine zag hoe hij langzaam het hoofd schudde. Toen wendde hij zich om, goot uit de aarden tuitkan een gulp water op een witte zakdoek die hij uit zijn mouw haalde en wiste haar met een langzaam en bijna plechtig gebaar de ogen af. En meteen begon zij te snikken, hoog en jammerend als een klein meisje. Hij wees enkel op haar leren pantoffels en liep naar de deur. Zij strompelde gehoorzaam achter hem aan met haar vuisten tegen haar ogen. Boven haar zwaaiende rok rinkelden de kettingen.

Zodra zij verdwenen was verscheen het hoofd van de pater weer rond de deuropening. 'Vergeef mij deze lange onachtzaamheid, heer,' zei hij grimmig, 'maar binnen een uur' (en plotseling gaf hij Raine een ontstellend vrolijke knipoog), 'komt een mals lendestuk op tafel en niet alleen dat. Een van deze bazelende boeren die mij als geheimschrijver en apotheker gebruiken heeft als echte analfabeet vanmorgen zijn loden handtekening in de rug van een reebok gezet.' Hij sperde de mond open en lachte daverend. Toen dook hij in een houten kist tegen de wand en zette een groene fles en de rode tuitkan met water voor Raine neer. 'Voorlopig is hier een drank die beter de eetlust op zal wekken dan koffie, mijn vriend.' Hij lachte genoeglijk en verdween met haastige schreden, lichtelijk in elkaar gedoken in zijn bruine pij, die met een koord vol knopen saamgebonden was.

Raine voelde zich droevig. Tijdens de twee dagen dat hij uitgeput door de bergen zweette was hij zijn verdriet kwijtgeraakt. Hier, in de doodse stilte, kwam het terug wat hij sinds Londen ontvluchtte. Hij beet op zijn lippen en stond op om zijn papier en kleurpotloden te krijgen.

Het ruisen van de beek werd dieper naar de avond toe, die weiden en bergen langzaam verdonkerde. Alleen de kartelingen van de verste keten vingen nog het laatste licht. Het diepe luiden van een bel deed Raine opkijken van de tekeningen die hij in de vensterbank aan 't schetsen was. Hij zag hoe de pater, blootsvoets in het gras staande, heftig een klok luidde die in de lage takken van de eik naast het huis hing. Hij rukte het klokketouw bijna ruw heen en weer, maar zijn gezicht glansde van een kinderlijke vreugde.

De dienaar bracht kaarsen. Een kwartier later kwam de pater binnen, krachtig door zijn neusgaten snuivend. Hij maakte een spottende buiging en zei: 'Na al deze wereldlijke en geestelijke bezigheden kan ik mij eindelijk aan mijn gast wijden. Maar gij zijt een slecht drinker, vriend! Alleen in de schemering zitten, zonder drank en met kleurpotloden spelen – geen wonder dat gij er bedrukt uitziet. Hallo! Glazen!' Hij sloeg zijn vereelte handpalmen hard tegen elkaar.

Raine voelde zich bedremmeld als een schooljongen. Deze dorpspriester in zijn franciscaner monnikspij had de waardigheid en ruwe kracht van een kerkvorst. Hij reikte Raine het glas vol mastiek en zei terwijl hij met gefronste wenkbrauwen naar Raines tekeningen keek: 'Een ontwerp voor een geologische kaart? En men had mij verteld dat gij plantkundige zijt?'

'Het ging de heren in Scutari niet aan dat ik hier voor geologische onderzoekingen kom, zei Raine koeltjes. 'Ik weet uit ervaring dat bij exploratie van een bepaald terrein dadelijk de dolzinnigste geruchten over rijke goudmijnen de ronde doen, waarmee niemand gediend is...'

De pater glimlachte. 'Gij hadt uw voornemen gerust bekend kunnen maken. De oude ertslagen, die bij de Groene Rotsen bij voorbeeld, lonen volgens mij de moeite van een moderne ontginning niet. Vijfentwintig jaar geleden toen ik hier als pater Jozef kwam, was het mijngat nog open. Verderop moet er nog een geweest zijn, maar een bergstorting heeft het dichtgerold. Ik herinner mij hoe een jaar voor de oorlog hier twee Oostenrijkers hebben rondgezworven. Ze sliepen in dit huis en maakten tegenover pater Jozef geen geheim van hun onderzoekingen die, op mijn erewoord, negatief waren; ze hielden mij voor een simpel dorpspriester. Maar ik heb zoals alle franciscanen die onder de bisschop van Scutari staan, in Oostenrijk gestudeerd, in Salzburg en Hall en toen ik hier kwam wist ik al een weinig van mineralogie en meteorologie af, die ik op het seminarie als liefhebberijvakken beoefende. En hier in deze dode vallei liet ik boeken komen en studeerde verder, uit tijdverdrijf. Ten slotte is het zelfs voor een priester nuttig om te weten hoe de geleerden zich aarde en hemel voorstellen!'

Hij nam een grote slok mastiek en begon een sigaret te rollen. Maar opeens liet hij het papiertje vallen en legde zijn brede hand op Raines mouw. 'Ik bedoel dit niet minachtend, mijn vriend, maar wanneer men gedwongen is als priester dagelijks de diepte der harten te doorgronden, laat wat men gewoon is bodemschatten te noemen u ten slotte een weinig koud. De fout is dus geheel bij mij...'

Hij zuchtte, stond op en stak nog een paar kaarsen aan. Het eten kwam op tafel: kippesoep, reebout, sla, vers maïsbrood, een kan wijn. Raine keek de priester aan.

'Sinds twee dagen heb ik geen groente gezien,' zei hij lachend, 'zelfs voor een goudnapoleon is bij de Malissoren niets anders te krijgen dan uien...'

'... Behalve hier,' onderbrak de priester hem, terwijl hij zijn handen breed op tafel legde. 'Want ik heb deze luie Malissoren geleerd sla en doperwten te verbouwen. In twintig jaar preken heb ik hun bovendien ingeprent dat water en zeep geen gevaar voor de gezondheid opleveren. Zie de andere valleien! Zie de mijne! Hier is orde, ginds chaos. Allen zijn hier gezonder dan twintig jaar geleden en sommigen van de jongeren kunnen zelfs lezen en schrijven!'

'Maar waarom zendt men u niet van de ene vallei naar de andere?' vroeg Raine verwonderd, terwijl hij zijn vork neerlegde. 'In twintig jaar tijds had u van Malissoren én Mirditen een beter en gezonder volk kunnen maken!'

'In twintig jaar tijds hadden ik en tien anderen zoals ik half China kunnen bekeren!' riep de priester woest. Hij had zich met een ruk over de tafel gebogen, zodat zijn keihard voorhoofd als in een steenworp op Raine toekwam. De rotsbulten in de bergen konden niet onvermurwbaarder zijn.

'Jaloersheid, mijn vriend,' zei de priester opeens kalm. 'Mijn overheid heeft mij hier gezet en ik moet gehoorzamen. Ik gehoorzaam dan ook, maar het is mij niet verboden na te denken over de oorzaken van mijn vijfentwintigjarige verbanning. Er zijn er die voor hun invloed vrezen, vriend. Vergeet niet, dat in deze streken kerk en staat eigenlijk nog niet gescheiden zijn. De priester heeft soms een invloed die op politiek terrein zowel nuttig als noodlottig kan wezen voor de steeds wisselende machthebbers, daar beneden in de stad.' Hij snoof, nam een slok wijn met een gezicht alsof hij een slechte smaak uit zijn mond wilde wegspoelen en wees over zijn schouder naar de kamerhoek waar de vrouw gezeten had met haar trillende rode kousen en haar door vliegen omkropen ogen. 'Ja, mijn vriend! daarom heb ik in twintig jaar tijds enkel een paar honderd Malissoren uit Theth kunnen redden van huidziekten en vervuiling. Ik heb hun bij voorbeeld kunnen leren dat men geen ge- kauwde spinnewebben op rauwe wonden leggen moet, maar dat men met zijn wonden beter naar de priester kan gaan.' Hij sprak deze laatste woorden langzaam en teder uit en zijn ogen werden weer zacht zoals in het ogenblik toen hij het water op de doek goot om de ogen van de vrouw af te wissen.

'Met alle wonden?' zei Raine nadrukkelijk en toen licht: 'Ook met de kogelgaten, pater Jozef?' Hij dacht aan Leonard, aan het geheimzinnig roepen door de avond, aan de dodenvogels bij de bron.

Pater Jozef pakte met bei zijn handen de tafelrand. De kaars die tussen hen stond wierp een flakkerend licht op zijn strakke trekken, op zijn bovenlip, kapotgebeten door de bergwind, zodat zijn mond als een boog van ruwgekorven hout in zijn gezicht stond, op de plooien van mond naar neus. De hele tijd had hij gesproken alsof hij elke plooi, elke rimpel in zijn macht had, maar nauwelijks had Raine zijn scherpe vraag gesteld of er ging een rilling over deze rimpels, snel als een onverwachte windstoot over water.

Hij trok zijn wenkbrauwen omlaag en zei langzaam: 'Drie dagen zijt gij in dit land en ook daarvan weet gij reeds?'

'Leonard,' zei Raine zachtjes.

De priester greep hem bij de schouder.

'Waarin hebt gij u gemengd dat gij dit alles weet?' zei hij hees. 'Als vreemdeling boezemen de vreemde zeden der Malissoren u natuurlijk belang in? Ik zou u willen raden, vriend, de etnografie hier met grote voorzichtigheid te beoefenen. Houd u liever bij uw stenen. Dit is een welgemeende vriendenraad.'

Raine kerfde verlegen langs een kaal beentje en keek de priester door zijn wimpers aan. De schrik van de oude was hem onbegrijpelijk. Het gezicht van de pater was plotseling vertrokken als een paardehuid onder een horzelsteek. Hij legde zijn mes en vork ferm naast zijn bord neer en zei met nadruk: 'De vrouw die hier in de hoek zat en wenend wegging... is dat soms Katharina?'

De priester kwam langzaam overeind. Zoals hij daar stond in zijn donkere pij, hard en dreigend kijkend, de zware schaduw van zijn onderlip in een barse boog, scheen hij met zijn brede schouders een geduchter krijger dan de magere Malissoren.

Raine moest aan een van die middeleeuwse kerkvorsten denken, die geharnast te paard zaten. Daarom was hij verrast toen pater Jozef bijna hakkelend zei: 'Wat hebt gij met deze zaak te maken, vriend?'

'Mijn gids vertelde mij het een en ander,' zei Raine schouderophalend. 'Maar waarom is mijn medeweten een reden tot ongerustheid? Ik ben zelf veel te diep in het komplot betrokken om iemand hier schade te kunnen berokkenen; het was met mijn revolver, die Leonard in Scutari van mij stal of leende zo u wilt, dat hij Katharina's minnaar neerschoot.'

Pater Jozef ging zuchtend zitten. 'Ik begrijp alles,' mompelde hij. 'En ik wens ook dat gij mijn verbazing begrijpt. Het is ontstellend uit de mond van een volslagen vreemde toespelingen te horen op een zaak die mij als zieleherder en als... Malissoor ten zeerste aangaat. Gij weet niet of misschien wel of althans niet in zijn volle omvang van de strijd in deze valleien tussen de nieuwe regering en de bevolking, juist naar aanleiding van de bloedwraak. Inmenging is voor een vreemdeling levensgevaarlijk – en ik maakte mij ongerust, omdat gij mijn gast zijt; als gastheer ben ik voor uw leven en welzijn verantwoordelijk.' Hij legde de hand vaderlijk op Raines arm en weer werden zijn ogen zacht.

'En zolang gij onder dit dak zijt ben ik als priester zelfs verantwoordelijk voor uw ziel,' voegde hij er aan toe. En toen lachend: 'Maar ook voor uw maag, jongeman! Gij eet als een bleekzuchtige stadsjuffer! Pak die rib! Ik neem die andere.' Hij knipoogde en zette zijn tanden gretig in het blanke vlees. 'Vijfentwintig jaar priesterschap maken een mens meedogend, maar ook hard,' zei hij terwijl hij opnieuw de glazen volschonk. 'Dat er iemand in dit huis is die boete doet, uit doodsnood en berouw de honger niet voelt, kan mij de eetlust niet meer ontnemen zoals vroeger. Wanneer ik volop met ieder in deze vallei mee moest lijden was ik reeds lang

39

aan flarden... Mijn ziel is bezorgd om haar ziel, zeker, maar mijn lichaam heeft zijn eigen rechten. Ik heb honger van het klokkeluiden,' lachte hij, 'en wil bovendien uw eetlust niet bederven. Maar eet dan ook, jonge vriend! Of zeg mij, wat u schort...'

Hij dacht even na, met gekruiste armen, en ging toen aarzelend voort: 'Zij, die daar beneden knielt in mijn kleine kerk, heeft door haar lichtzinnigheid veel verbeurd, maar minder dan zij denkt... Ook al heeft de biecht haar verlicht, zij meent dat de zaligheid voor haar verloren is gegaan en bovendien dat zij de dood van haar minnaar op haar geweten heeft... Ik kan en mag haar deze waan nog niet ontnemen, vandaag zeker nog niet! Zij moet lijden!' riep hij toornig.

En toen zachter: 'Let wel, alles wat ik hier zeg is niet in de eerste plaats katholicisme, maar eenvoudig: religie. Ik weet niet wat en of gij gelooft en daarom, wetende dat uw geweten vrij is van moord en verdere verschrikkelijkheden, vraag ik mij enkel als gastheer af waarom gij mijn tafel zo weinig eer aandoet. Voor geval gij dus (en ik zal u hedenavond daar niet hard over vallen) het bestaan der ziel loochent, bekommer ik mij enkel om uw maag, want dat is mijn recht als gastheer. Zeg mij uw zwarigheden en verzwelg dan rustig de rest van de reebout. Hij zal nog niet koud geworden zijn, want een jongeman met uw open uiterlijk kan onmogelijk veel op zijn kerfstok hebben.' Hij bediende zich rijkelijk van de appelmoes, die in het kaarslicht goudachtig glansde, schepte zonder te vragen ook Raines bord vol zoals een vader dat bij zijn jonge zoon doet en keek hem vol verwachting aan. Toen Raine zweeg, stiet hij aan en goot zijn glas wijn in een gulp naar binnen. Een paar rode droppels sprongen op het witte tafelkleed en hij wreef er vlug en zorgvuldig een snuifje zout overheen.

Raine staarde radeloos naar de priester. Aan deze man met zijn steenhard voorhoofd kon niemand ontkomen... Hij begon langzaam zijn moes te lepelen, maar de pater liet hem geen respijt: 'De protestantse kerken hebben de grote domheid begaan om de biecht af te schaffen, het zekerste en enige middel om in de gevangenis niet te zuchten, zich elke dag veilig te voelen als een kind aan de moederborst en lachend oud en aftands te worden.' Hij sperde zijn mond met de bruindoorrookte brokkelige tanden wijd open en lachte. 'Maar de lach komt pas na het lijden, mijn vriend,' zei hij opeens grimmig. 'Ook zij daar beneden zal eens weer lachen wanneer zij beseft dat niet zij de schuld aan de dood van haar minnaar draagt, maar...'

'Maar wie dan?' vroeg Raine scherp.

'Tot nader order de minnaar zelf,' zei de priester kalm terwijl hij zijn magere kin hoog oprichtte en Raine schuins aanzag.

'U verdedigt dus de bloedwraak?' vroeg Raine ontsteld.

Pater Jozef trommelde met zijn vuist op tafel. Zijn mond trilde terwijl hij langzaam zijn glas ronddraaide. 'Er zijn vele kanten aan de zaak,' zei hij eindelijk, 'en alleen een Malissoor kan die voluit begrijpen. Vandaar deze aarzeling, die u van een priester vreemd moge schijnen. Neen, dit staat niet in verband met mijn geweer,' glimlachte hij, toen hij Raines blikken naar de muur zag dwalen. 'Dit wapen heb ik alleen tegen de wolven. Mijn huis staat ver van de andere en 's winters wanneer ik tegen de avond de luiken sluit, zie ik soms vurige lichtjes in de sneeuw: de ogen van de wolven. En 's morgens, wanneer ik me met mijn oud gebeente naar buiten waag om de klok te luiden, moet ik soms eerst het venster openstoten om een half dozijn schoten af te vuren alvorens ik 's Allerhoogsten eer kan gaan verkondigen.' Hij sloeg een kruis en gaf Raine een krachtige knipoog.

Al pratende was hij naar de muur gelopen en stond nu met zijn geweer in de hand voor het raam, op de denkbeeldige wolven mikkend. De nacht kwam koel naar binnen en hij sloot het venster. Voor hij zich weer aan tafel zette, wendde hij zich eensklaps tot Raine en stampte met de beslagen kolf hard op de vloer. Uit een van de spijkers in de planken spatte een kleine vonk.

'Met dat al hebt gij nog geen mond opengedaan, mijn vriend! Gij hebt een poging gedaan om behoorlijk te eten, maar ik zag dat het niet van harte ging. Ik heb niet langer aangehouden toen ik vroeg wat u schortte en gij meent wellicht dat gij mij nu handig tot een bekentenis gedwongen hebt.'

Hij snoof krachtig, hing het geweer op en ging door: 'Laat ik de nederigste zijn en u op weg helpen door mijn openhartigheid. Ik hoop dat gij er mij toe in staat acht. Bloedwraak hangt dikwijls met liefde samen en misschien meent gij met zovelen, die ons voor onnozelen en sullen houden, dat een priester even weinig van liefde afweet als een Malissoor van een locomotief. Vergeet niet dat voor ons alle harten evenzovele open boeken zijn. Van hoevelen in deze vallei heb ik niet week na week de bladzijden zien beschrijven! En daarom weet ik ook wie de vergeving waardig was en wie niet.'

Hij haalde zwaar adem en staarde naar het donkere raam alsof hij de verre bergen zocht. 'Want de ware en enige rechter van deze vallei, voor deze stadslummels met hun slordige uniformen kwamen, dat was ik. Onder mijn bewind was de bloedwraak afgenomen, maar sinds een jaar, toen de nieuwe wet in werking trad, is het wraakgevoel bij elke Malissoor weer aangezwollen als een beek in de lente die meesleurt zonder te vragen waarom en waarheen. En dat is mijn schuld. Maar waarom moesten zij mijn werk vernielen?' Hij trok zijn schouders huiverig omhoog in de pij en hield zijn handen in een dakje boven de kaarsvlam, alsof hij het plotseling koud had. Zijn ogen werden hard, toen hij doorging: 'Gij zijt een vreemde, maar een Westerling en gij kunt mijn woorden begrijpen. Vroeger was ik hier niet alleen priester, maar ook... koning, graaf, vorst, wat gij maar wilt. Wanneer gij ziet hoe deze vallei afsteekt bij de andere, houdt gij mij wellicht voor de weldoener van deze streek, voor de hardste werker van Albanië, een voorbeeld voor sommige luiaards die zich enkel dik eten? Ja, ja, dat zei de bisschop ook.' Hij vouwde zijn lippen verachtelijk naar binnen en Raine zag met angst hoe door deze kleine verandering, het ineenschrompelen van de grote barse mond, zijn hele gezicht ineens oud en pijnlijk werd.

Weer wendde hij zich tot Raine in zijn beschuldigende alleenspraak, met ogen die enkel naar de witte muur schenen te staren. 'Neen, mijn vriend: mijn werken waren voor een groot deel enkel ijdelheid. O, wanneer zullen wij mensen de ware drijfveer van onze daden bekennen! Ik zwoegde aanvankelijk uit ijver, later toen mijn macht en overwicht in deze vallei zich uitbreidden uit wraak vanwege mijn terugzetting. Men duwde mij hier terug uit angst voor mijn invloed. Ik mopperde over mijn ballingschap in dit bergnest, maar wat had ik in de stad kunnen doen? Wie daar hard wil lopen, struikelt over honderden benen.' Hij waaierde met zijn arm de kamer rond. 'Hier in Theth was ik het hart en het geweten van de ganse vallei. Uit wraak over mijn vernedering begon ik mijn woeste Malissoren te temmen. Ik bracht hun niet alleen betere woningen met schoorstenen, zeep, een voedzamer soort aardappelen en het eerste stalen ploegblad, maar ook de vrees. De bloedwraak nam af, maar de enkele uitbarstingen werden er des te gewelddadiger door. De keurige landerijen, die ik hun verschafte, werden hun kooien. En telkens wanneer er één uitbreekt, ben ik dat zelf die de last van mijn akelig braaf leven afschud, ik zelf die opsta tegen mijn verbanning. De man die de minnaar van zijn vrouw neerschiet, zondigt voor mij en zo zwart is mijn ziel dat ik allen absolutie zou willen geven, ondanks hun gebrek aan berouw, zo Gods wet dit niet verbood.'

Hij sloeg de vuisten tegen zijn voorhoofd en bleef, met de elleboog tegen zijn volle glas, roerloos zitten.

'Gij maakt u zelf te zwart,' zei Raine bijna smekend.

'Neen,' zei pater Jozef heftig, 'neen!' Hij sloeg met beide vuisten op tafel en ging door: 'En indien het zo ware, wat doet het er toe? Alleen de Almachtige, die goed en kwaad scheidt, weet de ware inhoud des harten. Ik, Zijn instrument, ken de harten der anderen misschien, maar niet het mijne. En zo zijn wij allen een speelgoed in de hand van God, ook gij, mijn vriend!' Hij pakte zijn volle glas op en wees in zijn verwarring op Raine, zodat de drank over de rand spatte, maar hij merkte het niet.

'Wij vinden fraaie woorden voor onze schoonschijnende daden, maar in ons diepste denken weten wij de zwarte oorzaak. Doch achter dit dubbele spel staat een God die dikwijls eerst het boze winnen laat, om ons later des te sterker te kunnen binden. Maar wij, die dit niet willen weten, bedriegen ons zelf. Kijk naar mijn Malissoren! Het geregelde leven van ploegen en zaaien, van marktgang en huiselijkheid, is voor de Malissoor te klein. Hij is een adelaar. Hij hunkert naar opwinding en ter bevrediging van zijn hittig bloed vond hij de bloedwraak uit, haha! Hij spreekt op hoge toon over zijn eer wanneer hij zijn onrustig gemoed bedoelt. In het dagelijks leven een luiaard, ligt hij geduldig nachtenlang op de loer om de moord op zijn overgrootvader te wreken. Wanneer hij uittrekt om bloedwraak te volvoeren is hij niet langer de kleine zwoegende bergboer met een verscheurd hemd en een huidziekte, maar een adelaar op roof en wanneer hij op zijn prooi neerschiet, zijn een ogenblik lang aarde en hemel van hem. Hij is groot in zijn slechtheid!

Maar dit soort bloedwraak bestreed ik, mijn vriend, ik ranselde de opgewonden broeders zolang met hel en verdoemenis rond de oren dat zij de bibber in hun knieën en ellebogen kregen en uit schrik misschoten.

Uit schrik? Soms opzettelijk, want al schietende, raak of mis, hadden ze aan de eer voldaan.'

Hij lachte met de handen in de zijden en ging door: 'Alleen voor een soort van bloedwraak, waarbij men helaas niet misschoot, was ik zachter: die van man tegenover minnaar...'

Raine dacht aan het bruidspaar dat hij de eerste avond in de bergen ontmoet had en onderbrak de priester: 'Waarom zachter? Zou het niet beter zijn de zede af te schaffen dat bruigom en bruid elkaar voor het huwelijk niet mogen kennen? Worden huwelijken tussen mensen die elkaar niet kennen dikwijls niet zeer ongelukkig? En als dan de andere komt, die het hart neemt dat hem liefheeft, moest uw medelijden dan niet eerder uitgaan naar minnaar en beminde?' Hij sloeg de hand boven de ogen alsof het kaarslicht hem pijn deed en zei verlegen, dralend bij elk woord: 'Maar zijn deze huwelijken niet misschien uw werk en bent u daarom...' Hij slikte de rest van zijn woorden in, want pater Jozef trok de hand die zijn ogen beschutte snel opzij, zodat de kaarsvlam heftig flakkerde en grote schaduwen rond het vertrek dansten.

Hij slikte angstig en Raine zag hoe zijn adamsappel op en neer ging in de magere halsplooien. 'Gerechtige hemel,' smeekte hij eindelijk gesmoord, 'God geve, dat het niet zo is!' Maar opeens, zich snel hervattend, stompte hij met het hoornen heft van zijn mes op tafel en riep toornig: 'Kijk niet zo ontsteld, vriend! Gij weet niet waarom het hier gaat! Luister! Waarom ben ik zachter in mijn bestraffing wanneer het een door mij gesloten huwelijk betreft dan in geval van verre en langversleten veten, om grootvaders appelboom of tien meter weidegrond van een achterneef? Komen de ouders niet allen tot mij om raad? Ken ik niet allen, groot en klein, uit kerk en biecht? Bid ik niet nachten lang dat God mij licht geve? Verzet ik mij niet met hand en tand, met hel en vagevuur, tegen huwelijken die ouders enkel uit berekening willen bewerken om hun goederen te vermeerderen? Het is waar, wanneer in een dergelijk huwelijk een ongeluk geschiedt, gedraag ik mij anders dan wanneer bruid en bruigom mijn volle zegen hebben... Maar nu komt gij om mij te vertellen dat ik enkel lijdzaam ben uit ijdelheid, wanneer het mijn eigen keuze betreft! Welk een waarschuwing! God heeft u hierheen gezonden! Speelgoed van God, allen, allen!'

Hij schoof de wijnkaraf zuchtend opzij en tastte naar zijn tabaksdoos. Maar met zijn bevende vingers kon hij het dichtgeklemde

44

deksel niet open krijgen en hij liet, aldoor droevig glimlachend, de kaarsvlam in de glanzende bodem spiegelen. Toen keek hij Raine aan met een gelaat dat verhelderd scheen in dit dubbele licht. De kleine plooien in zijn wangen trilden van ingehouden vreugde. 'En het geval van Katharina en haar minnaar dan?' zei hij haastig. 'Raouf en zij hadden elkaar oprecht lief; zij liet zich verleiden... uit wellust, geen twee maanden nadat haar man vertrokken was. Ik waarschuwde hem nog, maar hij zei: 'Leonard is er toch om over mijn eer te waken?' Een echt Malissorenwoord! Maar nu? De minnaar dood, de vrouw op weg naar de stad, als getuige voor het onderzoek, de man onwetend ergens aan 't werk, Leonard als vluchteling in de bergen.' Hij schudde langzaam het hoofd. 'Neen, hier zijn alleen minnaar en minnares schuldig.'

'U zegt het,' zei Raine nadenkend, 'maar ik moet u bekennen dat ik mij zelf een deel van de schuld had aangerekend. Ik had Leonard geen uur meegemaakt in de herberg te Scutari of ik wist reeds dat hij van plan was... een niet alledaagse tocht naar de bergen te ondernemen. Toen ik de diefstal ontdekte en zijn briefje vond, had ik zekerheid omtrent zijn voornemen.' Hij graaide in zijn borstzak en schoof het beduimelde papiertje met Leonards krabbelletters naar de pater toe.

'Ik ging niet naar de politie. Uit luiheid en uit vrees om ongenoegen te krijgen, omdat ik geen vergunning voor de revolver had. Dat was enkel wat ik mij zelf inbeeldde. Ik had Leonard kunnen laten aanhouden zonder een werkelijke klacht in te dienen en hij zou er met een schrobbering zijn afgekomen. Nu is de daad gedaan; hij is jong en onervaren, men zal hem vangen en dan ontkomt hij niet aan de kogel. En dat is mijn schuld! Want er is meer! U hebt gelijk, pater, wij beelden ons altijd andere beweegredenen in dan de werkelijke... Zonder mij er rekenschap van te geven was ik blij dat Leonard uit wanhoop mijn wapen wegnam. Ik voelde dat hij iemand ging doden, niet alleen uit wraakzucht, maar ook uit liefde, dat meende ik tenminste.'

Hij schoof zijn beide handen over tafel en greep de vereelte vuisten van pater Jozef.

'Noem het biechten, zo u wilt, maar laat mij vertellen,' smeekte hij, daar hij zag dat de pater een vraag op de lippen had. 'Geen drie weken geleden stond ik zelf op het punt een dergelijke daad te begaan met dezelfde revolver. Ik was verliefd, voor het eerst van mijn leven, op een meisje, een vrouw liever, die veel meer ervaring van de liefde had dan ik... Wat heb ik gedaan in mijn jonge leven, tot mijn achtentwintigste jaar? Zwerven, werken... Ik was gelukkig, maar de liefde sloeg mij dit geluk uit de handen... Zij bedroog mij na een paar weken verloving, koel en opzettelijk om mij pijn te doen, om mij kwijt te raken. Nu hunker ik terug naar de onschuld van het vrije zwerven zonder te dromen van twee borsten en een ander geheim... Toen ik als jong geoloog door de Mexicaanse woestijn trok, dacht ik maar aan één ding: werken en ik verbeeldde mij dat iedereen die glimlachte ook werkelijk gelukkig was. Nu weet ik wat rimpels beduiden en sommige trekken rond de mond en het dwalend kijken van ogen en onder een helle lach hoor ik de grondtoon: onrust en vrees. En opeens wist ik ook wat wraak is. Toch deinsde ik terug en dagen lang schold ik mij zelf een verachtelijke lafaard. En toen Leonard naar de bergen vluchtte met mijn revolver voelde ik mij opgelucht alsof hij zich ook wreken ging... voor mij. En daarbij komt nog mijn eigen schuld, want in gedachten had ik de moord reeds begaan. Het gaat toch niet om die ene vingertrek, maar om het voornemen...'

Hij keek verward op en ontmoette de vrolijke blik van pater Jozef.

'Kolossaal, mijn zoon! Geweldig!' lachte hij. 'Alles wat gij hier verkondigt is gewoonweg de bewustwording van het geweten! Gij zijt u bewust van de innerlijke komedie en niet alleen dit; gij lijdt om een ander. Prachtig! Troost u, geen lijden is tevergeefs, ook uw smart om die vrouw niet. Het leed is als het schuren van een grondgolf die de diepte schept. En alleen in het leed wordt het geweten wakker. Ziet gij nu wel dat wij speelgoed zijn in de hand van God? Gij komt hier om mijn ijdelheid aan de kaak te stellen, maar ook ontdekt gij, in plaats van goud en koper, uw eigen ziel. Is de ruil zo slecht?' Hij leunde ver over de tafel, knipoogde en zei bijna fluisterend: 'Overigens kan ik ook zorgen dat gij uw superieuren bevredigen kunt. Want er zijn nog meer mijngaten, zonder twijfel oude ontginningen van de Saksers. Ik was niet van plan u dit te vertellen voor ik uw ware bedoelingen wist. Morgen, bij daglicht, zal ik u een van mijn oude kaartjes laten zien!'

Hij wreef zijn vereelte handpalmen tegen elkaar en schoof de wijnkaraf weer naar zich toe. Drink, mijn zoon, somber blijven helpt niet. Gij hebt werkelijk tegenover Leonard geen schuld: de jongen had zich toch niet laten vangen. Alleen dit: wat deed u vermoeden dat hij niet alleen uit wraakzucht, maar ook uit liefde handelde? Een jongen van vijftien jaar...'

Hij keek Raine ongerust aan en klapte in zijn handen. De kleine dienstknecht kwam binnen en ruimde de tafel af. Alleen de karaf en de glazen bleven staan.

Raine lachte kort. 'Ik weet wat het is om verliefd te zijn,' zei hij bitter, 'en ik vond Leonard, die totaal vergeten was mij scheerwater te brengen, in de keuken van het hotel met een portret in de hand...'

'Een bruine foto?'

'... Die hij haastig wegstopte,' knikte Raine. 'Wat is er?'

Maar de oude priester schudde het hoofd en verborg zijn ogen achter zijn bruine handen. 'Vijftien jaar is de jongen,' fluisterde hij met zijn ruwe lippen, die al hun strakheid verloren hadden. 'En mijn liefste leerling! En ik die geloofde dat hij enkel de familie-eer verdedigde... Ik ken dat portret. Verleden jaar was hier een professor uit München, een etnograaf. Hij fotografeerde ons allen en Katharina zelfs verscheidene malen, zij is de mooiste vrouw van de streek. Hij logeerde bij mij en zond ons later de foto's. En daar staart Leonard tegenaan! Hij is vroeg rijp, ik weet het, maar dit...'

Hij sloeg zijn vinger peinzend door de kaarsvlam en stond langzaam op. 'Mijn God, wat is het mensenhart toch diep!' riep hij hard in het holle halfdonker van het vertrek. En toen, terwijl hij zich met een ruk tot Raine wendde: 'Is het ooit in u opgekomen waarom uw verloofde u bedroog? Misschien met iemand waarvan zij in het geheel niet hield? Dat zij wellicht enkel de liefde bedreef om de pijn die het doet wanneer de echte liefde er niet is? Met wat meer ervaring had gij haar gemakkelijk kunnen ontmaskeren, vasthouden, dwingen, genezen!' Hij hield de kandelaber vlak tegen zijn pij en zijn groot voorhoofd glansde als een rotsbult in de zon.

'Waarom spreek ik over dit alles!' ging hij mompelend voort, 'ik bemoei mij toch niet meer met deze dingen... Ter bestrijding der verkeerde volksgewoonten hebben we nu gendarmes gekregen,' spotte hij terwijl hij zijn lippen verachtelijk naar binnen trok, zodat het bleke rood als een smalle sikkel in zijn bruin gezicht stond. 'Lummels uit de vlakte die eeuwig kaart spelen op een lege kist, omdat zij te lui zijn een tafel te timmeren en waarvan de aanvoerder, voor driekwart analfabeet, de onbeschaamdheid had mij te ko-

47

men vragen hem bij zijn bazelende rapporten te helpen! Sinds een jaar laat ik ieder zijn gang gaan: de lummels kunnen geen werk genoeg hebben. Zij denken met strenge straffen de vendetta uit te roeien. Onzin! De Malissoren vrezen mijn hel, indien ik het zo zeggen mag, maar niet de doodstraf van een koning die zij ternauwernood erkennen en van rechters die zij nog nooit gezien hebben. Daarom keur ik als priester de hele vendetta onvoorwaardelijk af, maar als Malissoor en als man...' Zijn stem liep omlaag tot een gegrom.

Hij stak een nieuwe kaars aan en liet het vet op de tafelrand druppen om haar vast te zetten. Zonder op het pennemes te letten dat Raine hem toestak sloeg hij de kop van de kandelaar heftig tegen de tafelrand om de wasresten los te werken. Opeens bleef hij onbeweeglijk staan met het trillende brons in de vuist.

Hij balde langzaam zijn vrije hand die luisterend in de lucht stond. 'Roept men mij?' zei hij zachtjes.

Raine liep naar het raam. De nachtwind was opgestoken en de sombere massa van de eik achter het raam ruiste breed. Een stem kwam dof en verwaaid van beneden: 'Oho, pater, oho!'

Pater Jozef sloeg tegen het raam ten teken dat hij kwam. Hij wendde zich glimlachend tot Raine: 'Zeker weer een boer wiens koe verkeerd kalft! Het is anders de stem van een mijner discipelen die enkel twaalf geiten heeft, maar zijn buurman houdt er twee koeien op na. Ja, ja, pater Jozef is voor alles goed genoeg... Ga mee een luchtje scheppen!'

Hij duwde snel de kaars in een lantaarn die hij van de plank omlaag haalde en lichtte Raine voor naar de trap, terwijl hij tussen zijn tanden een wijsje floot. Raine herkende de melodie die de kleine herder op zijn fluit gespeeld had.

De wind woelde door het donker en het stroomgeruis kwam in golvingen over de wei. De lucht voelde vochtig tegen zijn neusgaten en Raine rook de sterke geur van tomaten in de moestuin opzij van de eik. De wind perste de wolken uit het zuiden omhoog en alleen in het noorden boven de bergmuur flonkerde de hemel. Terwijl Raine boven de ruige rotsen de poolster zocht, moest hij aan geknielde dieren denken, door sterren gekroond.

Zijn gezicht was heet van het gespannen spreken en hij liet het afkoelen in de wind die fris was als beekwater. Voor het eerst sinds dagen voelde hij zich vrij. Hij had tegen het duister willen schreeuwen, maar de twee stonden zo verzonken in hun gesprek, hoofd bij hoofd, kapje bij kapje, dat hij zich inhield. De Malissoor, die Raine niet gegroet had, fluisterde. Dadelijk na de eerste woorden had pater Jozef de lantaarn naar binnen gezet en de deur dichtgetrokken. Nu leunde hij op de schouder van de lange Malissoor en zijn wit schedelkapje knikte langzaam op en neer, alsof hij diep en aandachtig luisterde. Maar toen Raine een pijp wilde opsteken, kwam opeens zijn stem schor door het donker: 'Maak geen vuur!'

En Raine gehoorzaamde glimlachend, alsof het zijn eigen vader was die gesproken had. Weer zaten zij tegenover elkaar aan de tafel vol glimmende randjes wijn. Tussen hen stond de lantaarn. Pater Jozef hield zijn hand rond het hengsel geklemd en staarde telkens naar de deur. Raine zocht zijn ogen, die hij afwendde in een benauwd zwijgen. De lege kandelaber glansde groen en de rest wijn op de bodem van de karaf was zwart. Raine had dorst, maar inschenken durfde hij zich niet.

Hij schrok overeind. Pater Jozef sloeg driftig de einden van zijn gordeltouw op tafel. De harde knopen kletterden als hagel.

'Wat zei de gids u over Leonard?' zei hij hakkelend. 'Ook dat een boer uit Theth hem verklikt had? Waar hij nu is? De richting van zijn vlucht?' Raine wees naar de verste kamerhoek, waar in zijn verbeelding nog steeds de vrouw zat met haar rode hielen en zwartomkropen ogen. 'Naar het noordwesten,' fluisterde hij, 'over een van de besneeuwde passen.'

'De Gabe ill Llenwe,' zei pater Jozef opeens ferm. 'Maar uw gids heeft gelogen. Deze man waarmee ik zoëven sprak is net terug uit de stad. Leonard is door de duivel bezeten. Nauwelijks bevrijd is hij verkleed naar Scutari gegaan. Vanmorgen vroeg heeft hij midden op de markt de boer die hem verraden had, doodgeschoten. En in de verwarring is hij ontkomen! Morgen bij zonsopgang begint de klopjacht...'

En hij hief zijn handen smekend omhoog naar het raam als om te vragen dat het donker zou voortduren.

In de nanacht had het geregend en de dag brak aan, vals en geel. Raine had geslapen op twee schapevachten in een kamertje onder het dak. Toen hij in de vroege morgen naar de woonkamer ging vond hij alleen de kleine jongen bij het vuur geknield, ijverig in zijn koffiekannetje roerend. Raine vroeg naar pater Jozef. Het kind keek hem schuw aan, legde de hand op het hart en wees naar beneden. Raine trad naar het raam. Pater Jozef stond onder de klok, pratend met de vrouw Katharina. Twee gendarmes, de karabijn aan de voet, hielden zich op een eerbiedige afstand. Zij was zo bleek dat haar nagels en lippen bloedrood schenen in het zwakke morgenlicht. Onder haar ogen waren zwarte kringen van het waken. De priester praatte met brede gebaren op haar in, nu eens op de hemel dan weer op de klok wijzend, maar toen hij de vuist naar de regenomhangen bergen uitstrekte, liet zij het hoofd zakken en trok haar witte doek over de ogen. Hij bracht zijn hand zo voorzichtig naar haar kin alsof hij een neergeknakte bloem weer omhoog wilde duwen, maar zij hield de doek stijf over haar ogen en het enige wat zij naar het licht keerde, terwijl de pater haar hoofd vinger voor vinger omhoog duwde, was haar mond, zo lokkend en jong, dat Raine opeens begreep hoe een man hiervoor wet en zede vergeten had. Zonder de bedroefde ogen was haar mond van een onbewuste wreedheid, een ding dat niet weet wat het doet. Zij knielde en de priester gaf haar zijn zegen. Toen liep zij weg naar het zuiden, langzaam stappend alsof de bodem haar pijn deed. De gendarmes die reeds vooruitgegaan waren wenkten uit de verte ongeduldig met hun geweren. Pater Jozef staarde haar met gekruiste armen na. Maar opeens gaf hij een schreeuw, die dof terugsloeg van de heuvel en holde met grote stappen op haar toe. Hij pakte haar beet en schudde haar ruw zodat haar hoofddoek losgleed, knielde toen, gespte haar sandalen los, rukte ze van haar voeten, schudde ze al scheldend uit in zijn holle hand en smeet ze neer in het natte gras. En het laatste wat Raine van de mooie Katharina zag, was het zilverborduursel van de rok die rond haar rode benen zwierde, toen zij de gendarmes angstig achterna rende terwijl pater Jozef haar dreigde met zijn gordeltouw. Pas toen zij verdwenen was liep hij langzaam terug naar de klok die hij met kracht begon te luiden.

Bij het ontbijt vroeg Raine waar Katharina heengegaan was. 'Naar de stad,' zei pater Jozef bitter. 'De heren zijn er zo zeker van Leonard vandaag of morgen te pakken dat zij alvast gedagvaard is als hoofdgetuige...' En grimmig lachend: 'Heb je haar gezien met de spijkers en steentjes in haar zondagse sloffen? Dat wilde de boeteling spelen, de nietswaardige! ... de Maria Magdalena, de kleine wolvin!'

En toen, terwijl hij zijn maïsbrood in de melk doopte: 'Zou Leonard werkelijk iets voor haar gevoeld hebben? Ik kan het niet geloven... vijftien jaar!' Maar Raine dacht aan haar rode mond onder de witte hoofddoek en zweeg.

Vijf

Dag na dag zwierf Raine nu door de bergen, soms alleen, doch meestal met zijn gids. Hij volgde in den vage de aanduidingen van de pater, maar klopte toch de ganse omgeving zorgvuldig af. Overal, in het struikgewas, langs de hete wegen, in de rotskloven en op de gruishellingen ontmoette hij de gendarmes, in groepjes van drie en vier, met het geweer in de aanslag. En telkens was het dezelfde ondervraging: of ze niet een kleine jongen gezien hadden in Malissorendracht, een gescheurde linnen broek en een paars vest met koperen knopen? En een brutaal uiterlijk en strokleurig haar?

Telkens wanneer de gids dit signalement knipogend vertaalde ging Raine zitten, bood allen tabak aan en bracht de hand aan de kin alsof hij diep nadacht. Indien Leonard in de bergen was kon een minuut oponthoud van de achtervolgers hem redden. Tijdens de eerste week van de klopjacht werden drie vluchtelingen van de bloedwraak die sinds maanden in de rotsen huisden gevat, maar Leonard bleef onzichtbaar.

De avond van de achtste dag kwam Raine doodmoe bij de pater aan. Hij was drie dagen onderweg geweest, met weinig eten, en had twee nachten in de rotsen geslapen. De zon was heet, de kalksteen droog en de rugzak met monsters die hij mee terugbracht, loodzwaar.

Na het avondmaal kroop hij aanstonds op zijn schapevacht en sliep dadelijk in. Even later werd hij wakker, maar toen hij op zijn horloge ging kijken dat in de vensterbank lag was het reeds half drie. De maan stond dun in de warme hemel en de weinige sterren schenen dof. Uit de weiden kwam de zware reuk van het eerste gemaaide gras. Hij voelde zich dorstig en heet, aarzelde een ogenblik en liep toen op de tast naar beneden om te gaan drinken in de beek.

Achter de deur van de woonkamer hoorde hij de zware stem van pater Jozef. Hij sprak langzaam en regelmatig, alsof hij las, maar door de kieren van het oude gespleten deurpaneel kwam geen licht. Hij was dus in gebed. Raine wilde zich omdraaien maar bleef trillend staan. De hoge gejaagde stem van Leonard antwoordde het donkere bassen van de pater. Terwijl hij daar in het donker stond, de vochtige reuk van de versgeboende vloerplanken inademend, moest hij aan zijn laatste jachtpartij in Westmoreland denken, aan de aangeschoten watersnip die vleugellam naar het water viel. Wat hij achter de deur hoorde was het eendere angstige krijsen van een wezen in nood. En het geluid hield niet op, het was of Leonard slechts één woord had, één lange jammerende ontkenning van wat de pater beweerde.

Raine sloop weer naar boven en bleef luisterend op de grond zitten, langzaam de haren uit de schapevacht plukkend. Opeens kwam hij vastbesloten overeind, haalde een pakje patronen onderuit zijn kaartentas, vouwde er drie dollars omheen en knoopte alles in zijn witte zakdoek. Deuren gingen open en dicht. De pater kwam naar boven, ontsloot het kamertje naast Raine waar de apotheek was, scharrelde rond en ging weer naar beneden. Waarom droeg hij geen kaars? Was hij bang dat de gendarmes, die misschien op waren, het licht zouden zien?

Raine leunde naar buiten. En opeens verraste het hem hoe de nacht al vol geluiden was: een hond die blafte, een schreeuwende kat en heel in de verte het scherpe zingen van een zeis die gewet wordt. En nog verder, onduidelijk boven het ruisen van de stroom, het jouwend balken van twee ezels die elkaar antwoordden onder de bleke sterren. De deur beneden ging piepend open en een schim vloog door het gras.

'Leonard!' siste Raine, 'Leonard! Luister!' De jongen stond stil, besluiteloos. De witte zakdoek zeilde voor zijn voeten neer. Terwijl hij er naar graaide liet hij een baaltje in een donkere doek geknoopt uit de handen vallen. Van de andere kant van de beek klonk een scherp gefluit. Leonard verdween met een sprong in de somberte van de eik. Toen Raine beneden kwam vond hij enkel de donkere doek. Hij maakte de dubbele knoop los en vond twee maïskoeken, een plak chocolade en een rol smyrnavijgen, alles in een donker vest met koperen knopen gewikkeld. Het vest kraakte. In de binnenzak zat een bidprentje van de Heilige Jozef en een stuk van een foto, ruw afgeknipt. In het aarzelend beginnende daglicht kon Raine een man in Malissorendracht onderscheiden met het geweer aan de voet. Zijn arm reikte naar de afgerafelde rand van de foto, alsof hij iemand de hand gaf. Dit was de foto die Raine reeds eenmaal gezien had: in de Herberg met het Hoefijzer. Maar een gestalte ontbrak: de vrouw Katharina.

De dag brak rood en driftig, maar weldra werd de hemel overtogen door een wezenloos blauw, bleek en streperig als uitgesmeerde waterverf. Toen Raine beneden kwam zat pater Jozef voor het raam in zijn brevier te lezen. Hij groette kort en zag Raine onrustig aan terwijl zijn lippen doorprevelden.

Raine bleef midden in de kamer staan met het baaltje achter zijn rug. Eindelijk zei hij, zijn angst wegslikkend: 'Leonard is hier geweest, nietwaar?'

Pater Jozef knikte. Zijn wijsvinger tikte zenuwachtig op het gouden initiaal van de bladzijde voor hem.

'Ik heb hem de rest van mijn patronen gegeven,' ging Raine voort.

Pater Jozef trommelde met alle vijf vingers op de bladzijde. Het rood en goud gloeiden tegen zijn doffe pij. 'Doe wat gij wilt,' zei hij donker, 'ik kan niets meer voor hem doen. Ik heb hem weggestuurd, ik heb hem mijn zegen geweigerd en de vergiffenis van God en de genade van de Maagd... Hij heeft mij bekend na lang liegen dat hij Katharina liefhad, al was het dan met de liefde van een knaap en dat hij ook daarom schoot... Hij is in de war en zal misschieten wanneer ze hem te na komen... En dan...' Hij perste de vuisten tegen zijn voorhoofd als wilde hij er de hardheid van vermurwen.

Hij staarde hulpeloos naar de muur waarop de vroege zon de schaduw van het kruisraam tekende. 'Mijn eerste greep als Malissoor zou naar de muur geweest zijn om hem mijn geweer te geven,' zei hij klagend, en toen, met een vermoeide stem die Raine niet van hem kende: 'Wat kon ik doen als priester? Welke boete moest ik hem opleggen voor zijn dubbele moord waarover hij geen berouw toont? Hem dwingen zich aan het gerecht over te leveren? Ik, die het niet erken en het heftigst van allen er tegen streed? Kan ik iemand met ziel en lichaam overleveren aan schurken uit de stad? Ik zond hem weg om opnieuw boete te doen, alleen in de bergen, maar ik verbond zijn gewonde voet en gaf hem te eten en een dikker vest dan hij had, want in de hoge sneeuw zijn de nachten koud, maar ik weigerde hem de onmiddellijke vergeving. En wanneer hij nog maar dadelijk bekend had! Gij hebt gelijk mijn vriend: de redenen, die wij ons aanpraten zijn de ware niet.'

'Maar indien er nu toch een vergissing was?' zei Raine snel. 'Dit heb ik daarnet onder de eik gevonden.' Hij zette het baaltje voor pater Jozef op tafel.

De priester zuchtte en knaagde langzaam over zijn lippen. Zijn woorden verrasten Raine die onbewust het middel aangewend had dat de tweestrijd van de oude besliste. 'Ik heb hem mijn zegen niet gegeven en daarom heeft hij ook mijn eten niet gewild,' klaagde hij. 'Een echte Malissoor! Trots tot berstens toe! In mijn gezicht wilde hij mijn hulp niet afslaan, daarom liet hij het baaltje buiten liggen. Nu heeft hij honger en zal kou lijden; alles mijn schuld!'

'Ik geloof dat wij ons beiden vergist hebben,' zei Raine langzaam. 'Het spijt mij dat ik u over dit portret sprak en u zo op een dwaalspoor bracht.' Al pratende knoopte hij de doek los en de geur van de verse maïskoeken sloeg hem in de neus. 'Hier is de foto. De vrouw is er afgeknipt. Maar wie is die man? Raouf?'

Hij legde de foto en het bidprentje op pater Jozefs brevier. De priester knikte toestemmend en zweeg. Raine sprak haastig door: 'Heeft Leonard niet altijd uit eergevoel gehandeld? Waarom anders heeft hij zijn verrader neergeschoten? En mijn wapen genomen om geen andere Malissoor in verlegenheid te brengen? En daarom ook knipte hij de vrouw van de foto af! Misschien streed hij, maar hij overwon!'

Pater Jozef nam zijn woorden op: 'En ik weigerde hem mijn zegen! Ik had het recht hem boete op te leggen, maar niet zo! Zonder mijn zegen is hij niet sterk genoeg de boete te volbrengen. Hij is een kind en heeft geen eten bij zich. Laten wij gaan, snel! Pak uw rugzak! Gij waart nog niet aan de andere zijde van de Gabe ill Llenwe? Daar zijn ertslagen, mijn vriend! Vergeet uw hamer niet!'

Hij liep bedrijvig door het vertrek heen en weer, haalde een zij spek en een worst van de zolderbalk omlaag, verwisselde zijn sandalen voor spijkerschoenen en keek Raine telkens met schitterende ogen aan.

'Ik ben weer jong, mijn vriend, zoals toen ik zelf door de bergen dwaalde en op de hoogste plek stond boven de vallei van Theth, waarvan ik alleen hogepriester was en koning! Zo wordt de hoogmoed gestraft! Indien wij maar niet te laat komen...' Hij verdween naar de kleine kerk gelijkvloers en kwam terug met een kleine witte buidel die hij Raine niet toevertrouwde.

Zes

Zij liepen kniediep door de halfgemaaide wei. Ondanks het vroege uur geurde de bodem zwaar. Uit het liggende gras kwam de heftige reuk van vertrapte bloemen. Twee zwaluwen scheerden laag over het vlakke gedeelte van de beek. Kleine wolken balden zich samen boven de kartelingen van de bergrug. Zij waren vanuit de verte waar zij liepen niet groter dan een vuist.

Raine volgde zwetend de pater die met opgeschorte pij voor hem uit draafde. Bij het dras van een zijbeekje waar stenen op een voetstap van elkander lagen, stond hij plotseling stil. Halverwege de zwarte modder stond de afdruk van een spijkerschoen en links daarvan de smalle diepe gleuf die een geweerkolf maakt. De sporen waren vers. Vliegen zoemden met hen mee, aldoor venijnig stekend. Het gras onder hun voeten werd dunner en hard. Zij sloegen hijgend een zijdal in. Halverwege dit dal begon een gruishelling die verblindend heet omhoog liep naar de rotsrand waar de sneeuw goor overheen hing. De pater wees op een van deze sneeuwslippen naast twee grote rotstorens. Dat was de Schapenpas, de Gabe ill Llenwe.

Raine mat de afstand. 'Vierhonderd meter, een uur voor wie snel gaat,' zei hij halfluid. De pater knikte, maar voerde hem meer rechts naar een lorkenbosje dat stil en treurig in de eerste keien stond.

Achter een rotsblok borrelde een bron omhoog en daar dronken zij.

'Ik kan hem niet roepen, want ze zijn op de helling,' zei pater Jozef opeens hees, 'acht zelfs!' En hij wees langzaam voorbij het rotsblok naar boven, alsof hij bang was de aandacht van de acht gendarmes te trekken die minstens tweehonderd meter boven hen voorttrokken door de woestenij van steen: acht mannetjes met acht dunne uitsteeksels van even zovele geweren, uit de verte klein als speelgoedwapens. Hun onderlinge afstand veranderde niet: het scheen alsof zij alle acht aan een draad geregen waren die langzaam ingetrokken werd.

Terwijl de pater en Raine langs een ander zigzagpad omhoog zweetten en de steenschilfers weerbarstig wegsprongen onder hun voeten die telkens weggleden met een nijdig spijkergekras, kwamen de wolken vlagend over de rand, hoewel in de hete diepte geen naaldje der dwergdennen bewoog. Telkens wanneer zij naar de hemel keken om de afstand te meten was de grauwe rots donkerder.

Terwijl zij zich hijgend verder haastten boog het onweer zich breed en rustig over de bergmuur. De acht zwarte poppetjes waren nu vlak onder de twee ruige rotstorens naast de pas. Zij zelf stonden aan de voet van een steile grashelling die een paar honderd meter verder de rotsen bereikte. Zij wroetten hun handen vast in de harde stekels om zich omhoog te hijsen. Toen een grote kluit meegaf zag Raine het gekrioel van kleine wormen, die zijn voet het ogenblik daarna vertrad. Het gras rook naar droogte en zonnebrand en de tong kleefde hem aan het gehemelte. Aan een beschaduwde pol op borsthoogte naast hem hingen nog dauwdroppels en hij likte ze haastig af.

Juist toen ze de eerste rododendrons bereikten klonk dwars door het valse licht van de komende storm het geklaroen van een heldere jongensstem. In de verte spatten twee schoten, schor en nijdig. Raine haalde de pater met een sprong in en legde de hand op zijn arm. 'Mijn revolver!' riep hij, 'het is Leonard die schiet!'

Maar de priester ijlde verder alsof hij niets verstond, vaardig van blok tot blok springend.

Een windvlaag, snel als een vuist die uitsloeg, deed hen wankelen op de smalle grasrand waarlangs zij zich voorthaastten. Links was de gruishelling, rechts een rotsmuur, het steile einde van een tweede dal waaruit een groot rumoer van waaiende beuken omhoog steeg. Enkel een bredere bult scheidde hen nog van de Schapenpas.

Tegelijk met de verscheurende helheid van de eerste bliksemstraal viel een knettering van schoten en toen, regelmatig verderrollend, hun echo tussen de rotswanden. Maar dit kwaadaardig knallen was enkel de voorbode van een donderslag hard als het botsen van bergen in beweging. Een ogenblik had de priester geknield, omlaaggedrukt door de wind, toen sprong hij weer verder met het hoofd opzij om te kunnen ademen in de zuigende wind.

De rotstorens verschenen grijs boven de zwiepende rododendrons. Bij elke stap die zij deden knetterde de donder het geweervuur achterna. De bult boog omlaag en plotseling schoten de torens in hun hele lengte omhoog. Aan hun voet strekte een sneeuwhelling zich glad als een laken naar de tweede vallei. En opeens, tussen twee dwergdennen door, zagen zij het ganse zwarte bolwerk naast de pashoogte, waarvan onophoudelijk de echo's terugsloegen alsof elk der rotsgleuven een schreeuwende mond was. De eerste regendroppels schoten schuins omlaag en oneindig fijne sneeuwvlokken dansten tergend langzaam tegen de sombere muur.

Ergens aan de voet van die muur lag het vuurpeleton, want nog steeds spatten de kogels door. Achter elk salvo viel het hortend geroep der echo's, overschreeuwd door de donder. Hun ogen dwaalden langs de muur: waar was de ter dood veroordeelde? Raine pakte pater Jozefs mouw: 'Daar!' Uit een hoge gleuf in de middelste toren, honderd meter boven de sneeuw, spatte vuur. Weer herkende Raine de knal van zijn revolver. 'Leonard!' schreeuwde hij.

Maar terwijl zij niets konden doen dan knielen achter de dwergdennen, wegschuilend voor het geknal als bange beesten, klauterden twee gestalten waaghalzig naar de rotsgraat omhoog. En van de andere zijde, uit het bruisende dal, naderde nog een troep van zes man die voorzichtig verder klauterden langs de rand van het sneeuwveld.

Pater Jozef staarde Raine aan. Hij hijgde nog steeds en het water lekte langs zijn pij. 'Schaakmat,' zei hij dof, 'wij zijn te laat. Er is geen ontkomen meer aan...' Hij vouwde de handen en begon te bidden, zijn open ogen op de rotsgleuf gericht.

De twee kerels op de graat kropen verder. Leonard leunde naar voren uit zijn schuilhoek. Een salvo viel. Pater Jozef sprong overeind. 'Terug!' schreeuwde hij toornig, 'pas op!' Maar Raine zag hoe Leonard zich omdraaide, de revolver in de linkerhand nam, al knielend zijn rechterhand vastsloeg achter een onzichtbare greep en toen met hand en voet als een hagedis aan de rots klevend zich vrij uitzwaaide in de ruimte. Het schot scheen weg te spatten uit zijn hand, een gil gleed langs de rotswand, een van de twee gestalten op de graat was verdwenen.

Maar voor Leonard zich terug kon zwaaien scheen het of de donder van een salvo zijn linkerarm vastdrukte tegen de steen. Raine hoorde zijn kreet, scherp en hoog als die morgen in de kamer: 'Ne! Ne!'

Toch bereikte hij zijn gleuf, maar nu spatten geen vonken meer terug wanneer de geweren knetterden. Pater Jozef stond op en daalde snel naar de sneeuwhelling. Raine hoorde hem naar boven roepen, maar als enig antwoord kwam weer dezelfde wilde kreet: 'Ne! Ne!'

Opeens hoorde Raine zijn naam. Het was Leonard die riep. 'Mijn belofte, heer!' gilde zijn hoge jongensstem. 'Vang!' Een zwart voorwerp buitelde omlaag en boorde zich in de sneeuw. En toen, even vrolijk schallend als de eerste roep die hen deed beven tussen de rododendrons: 'Ik kom, pater! Ik kom, heer!'

Hij had zijn vest uitgetrokken en stond nu in zijn witte broek en hemd duidelijk tegen de regenomvaagde rots. Met de rechterhand perste hij zijn linkerarm stijf tegen zijn lichaam en trok toen plotseling de benen omhoog. Hij viel wit langs de donkere steen en het sneeuwlaken nam hem zwijgend op. Een laatste schot viel, belachelijk in de stilte. Terwijl de gendarmes zich voorzichtig omlaag waagden, hun hielen bij elke stap in de sneeuw borend, gleed pater Jozef de lange helling af zoals de alpinisten dat doen: plat op zijn zolen. De natte sneeuw stoof in grote korrels van zijn schoenpunten omhoog. Hij stoorde zich niet aan het geschreeuw achter zich, knielde langzaam en haalde onder zijn pij het witte buideltje te voorschijn. Toen de eerste der gendarmes nijdig aan kwam lopen zag hij de pater bezig met de heilige handeling die de priester bij een stervende verricht. Hij nam zijn kepi af en staarde Raine vijandig aan. Weldra stonden ze in een kring van twaalf geweren. De overigen waren hun gevallen kameraad gaan zoeken.

Weer hoorde Raine zijn naam uit Leonards mond. Het gezicht van de jongen was even geel als zijn hemd. Raine knielde en pater Jozef legde Leonards hand in de zijne. De arm scheen onhandelbaar te wezen en de hand was zwaar en koud. 'De ruggegraat,' fluisterde pater Jozef. Raine knikte ten teken dat hij begrepen had en die kleine beweging maakte de weg vrij voor zijn opgekropte tranen.

Maar Leonard keek hem smekend aan en hij boog zich fluisterend naar Leonards mond zodat hij zelf met zijn wang in de koude sneeuw lag. En hij hoorde in het zachte Servisch waarvan de jongen de veelvuldige medeklinkers niet meer kon uitspreken: 'Ween niet, heer. Alles is toch in orde? De smaad is gewroken en de pater heeft mij bediend en mij zijn zegen gegeven. Uw revolver is terug en ook het hoefijzer is terug... Nu ben ik vrij!'

Toen Raine opkeek waren Leonards ogen dicht. Pater Jozef wiste de laatste droppels van zijn geel gelaat. De lucht was droog, maar nog duister; het onweer zakte rochelend omlaag naar de vallei van Theth.

De gendarmes wilden de stervende opnemen, maar pater Jozef

snauwde ze wild terug. Terwijl de tranen over zijn wangen liepen gromde hij woest tegen Raine: 'Eerst doodschieten en dan dragen! De hondsvotten! Ik val liever neer dan hem aan een ander toe te vertrouwen; hij kan elk ogenblik sterven en dan heeft hij er recht op dat ik zijn hand vasthoud...'

Ze gingen op weg onder een scheurende hemel. Leonards armen hingen slap omlaag over pater Jozefs schouder. Voor en achter hen liepen acht gendarmes die telkens van plaats wisselden, want om de beurt droegen zij hun dode kameraad. Maar pater Jozef droeg Leonard alleen en toen Raine voorsloeg om hem af te lossen bij de eindeloze daling door de hortende moraine die weer even droog was als voor de regen, keek pater Jozef hem grimmig aan. 'Dit doet mij goed,' zei hij, 'sinds een jaar strijd ik niet meer, wat doe ik met al mijn opgespaarde kracht? Hij is licht, hij is een kind.'

Hij liep met voorzichtige passen, diep doorknikkend in de knieen, en bij elke hoek van het zigzagspoor stond hij stil en voelde Leonards hart om zich te overtuigen dat er nog leven was achter de gesloten ogen. Maar opeens schudde hij het hoofd en keek Raine stralend aan: 'Zijn lichaam leeft nog, maar ik weet zeker dat zijn ziel al omhoog is gegaan, daarboven, in het onweer!'

Al lopende vertelde hij met een hortende stem wat Raine nog niet wist: hoe Leonard naar Scutari was gegaan niet alleen om de boer die hem verraden had neer te schieten, maar ook om het hoefijzer weer aan de deurpost van de herberg te spijkeren; hoe hij na de moord, vluchtend in de paniek, zich had weten te redden over de muur van het franciscanerklooster waarvan de broeders nooit in de stad komen; hoe hij in de tuin met zijn eigen mes zijn voet had opengesneden en hoe de broeders, die zich met de buitenwereld niet bemoeien, hem gastvrij hadden opgenomen en verpleegd en hoe hij weer gevlucht was na het voorbijwaaien van de eerste storm. 'De dapperste Malissoor die ik van mijn leven gekend heb,' zei hij dof, 'maar daarom ook sterft hij jong. Dit is geen eeuw meer voor het woeste avontuur, dit is een tijd van wet en recht. Zag je dat laatste schot, mijn zoon, met de linkerhand? Recht door het hart: de gendarme was op slag dood. Het is een muzelman uit Berati; ik zal hem met zijn voeten naar het oosten begraven en hij krijgt een rechtopstaand zuiltje op zijn graf; ik ben er de man niet naar om met geweld of list proselieten te maken. Maar de bewustwording van het geweten, dat kan er nog mee door, nietwaar?' En hij keek Raine doordringend aan.

Onder aan de gruishelling ontmoetten zij Raines gids die hen verschrikt tegemoet was gelopen. Zij legden Leonard, die nog steeds bewusteloos was, op de witte schapevachten in de grote woonkamer. Toen pater Jozef zich even verwijderde plaatste de gids haastig het baaltje met de maïskoeken naast hem. De gendarmes posteerden zich in een kring rond het huis met het geweer aan de voet alsof zij vreesden dat de knaap met zijn gebroken rug, die hen zolang had uitgedaagd, nog ontsnappen zou.

Hij stierf voor zonsondergang en toen pater Jozef knielde om te bidden ging Raine met de gids naar buiten. Hij leunde tegen de eik waarin de klok hing en de gendarmes staarden hen nieuwsgierig en wantrouwend aan.

Het venster boven hen ging open. Pater Jozef riep naar buiten en Raine zag hoe alle barsheid uit zijn gelaat verdwenen was. Zodra de pater was gaan spreken had de gids die naast hem stond zijn sigaret uitgetrapt en zijn schedelkapje afgenomen.

'Wat zegt hij?' vroeg Raine zachtjes.

'Hij zegt tegen de gendarmes dat zij naar huis kunnen gaan om te eten en te slapen,' prevelde de gids terwijl hij de nagels in zijn kapje kneep, 'omdat de jongste der dappere Malissoren zoëven stierf; dat hij naar oorden vertrokken is waar de ganse gendarmerie van Albanië hem niet kan achterhalen en dat zijn voet nu over bergen schrijdt waarvan niemand hem omlaag kan schieten; bergen die zelfs geen gems beklimt...'

En hij wees op de zwarte stapelwolken, die loodgrauw van onderen en aan de hemelzijde vol ragfijne rafels, hoog achter de bergmuur dreven: een bovenaards bastion.

Twee weken later kwam Raine met een paar zakken vol monsters te Scutari aan. Zijn eerste gang was naar het postkantoor waar hij een telegram met de enkele woorden 'Good health' naar Engeland zond. Daarna ging hij regelrecht naar 'Grand Hotel London'. Een andere jongen, nog havelozer dan Leonard, schoor er de klanten; de waard was lichtelijk dronken zoals tevoren; en ook het hoefijzer hing op zijn plaats tegen de deurpost alsof er niets gebeurd was.

Maar de Malissoren die de herberg binnentraden verpoosden allen een ogenblik op de drempel, namen hun schedelkapje af en

61

legden de hand plechtig op het hart, terwijl zij strak naar het ver-
roeste stuk ijzer staarden dat voor hen nu voorgoed het teken der
vrijheid geworden was.

Jezersko-Mavrovo (Joegoslavië), 1933.